第五版前言

本作业集是普通高等教育"十二五"国家级规划教材——濮良贵等主编《机械设计》(第十版)(以下简称主教材)的配套教材,是在第四版的基础上修订而成的。本作业集的编写目的是为了引导学生学习,方便学生做作业,利于教师批改,并使作业规范化。

本作业集的主要特点是:

1. 分装成1、2两册交替使用,1册中编入第一、三、五……章的作业,2册中编入第二、四、六……章的作业,学生直接将作业做在作业集上,不必另备作业本。

2. 题目类型多,有选择、填空、分析、思考、计算和结构设计题等;作业量适当,通过作业环节使学生全面掌握所学内容。

3. 为了加强学生设计能力的培养,除各章的结构设计与分析题外,还编入了三个单元的设计作业题,与各单元的教学内容相对应。

4. 编入两套机械设计自测试题,供学生学完本课程后进行自我检测,以便明确自己对所学内容的掌握程度,并由此概括了解本课程的考试方法。两套机械设计自测试题均给出了参考答案,以便于学生自我检查。

5. 由于本作业集的选材符合"高等学校机械设计课程教学基本要求",因而亦可供使用其他同类教材的学生及广大自学者使用。

主教材中编有少量习题,选择其中一部分习题编入本作业集,以方便学生在作业集内完成。

本次修订,根据主教材的内容对作业集里的部分习题和部分参数的符号做了修改,使之与主教材内容一致。参加本作业集修订工作的有李育锡、李建华、吴立言、袁茹、李洲洋,并由李育锡和李洲洋担任主编。

由于编者水平所限,疏漏之处在所难免,敬请广大使用者批评指正。

编 者

2019 年 12 月

目　录

第一章　绪论 ………………………… 2
　　分析与思考题 ……………………… 2

第三章　机械零件的强度 …………… 2
　　一、选择与填空题 ………………… 2
　　二、分析与思考题 ………………… 2
　　三、设计计算题 …………………… 4

第五章　螺纹连接和螺旋传动 ……… 6
　　一、选择与填空题 ………………… 6
　　二、分析与思考题 ………………… 6
　　三、设计计算题 …………………… 8
　　四、结构设计与分析题 …………… 12

第七章　铆接、焊接、胶接和过盈连接 … 12
　　一、选择与填空题 ………………… 12
　　二、分析与思考题 ………………… 14
　　三、设计计算题 …………………… 14
　　四、连接篇综合题 ………………… 16

第九章　链传动 ……………………… 18
　　一、选择与填空题 ………………… 18
　　二、分析与思考题 ………………… 18
　　三、设计计算题 …………………… 18

第十一章　蜗杆传动 ………………… 20

　　一、选择与填空题 ………………… 20
　　二、分析与思考题 ………………… 20
　　三、设计计算题 …………………… 22
　　四、传动篇综合题 ………………… 24

第十三章　滚动轴承 ………………… 26
　　一、选择与填空题 ………………… 26
　　二、分析与思考题 ………………… 28
　　三、设计计算题 …………………… 28
　　四、结构设计与分析题 …………… 30

第十五章　轴 ………………………… 32
　　一、选择与填空题 ………………… 32
　　二、分析与思考题 ………………… 32
　　三、设计计算题 …………………… 32
　　四、结构设计与分析题 …………… 36
　　五、轴系零、部件篇综合题 ……… 38

单元设计作业题 ……………………… 40
　　作业一　螺纹连接设计 …………… 40
　　作业二　带传动和齿轮传动设计 … 41
　　作业三　轴系组件设计 …………… 42

机械设计自测试题 I 参考答案 ……… 44

机械设计自测试题 II 参考答案 ……… 47

第一章 绪 论

分析与思考题

1-1 机器的基本组成要素是什么?

1-2 什么是零件?什么是构件?什么是部件?试各举三个实例。

1-3 什么是通用零件?什么是专用零件?试各举三个实例。

1-4 "机械设计"课程研究的内容是什么?

第三章 机械零件的强度

一、选择与填空题

3-1 零件表面的强化处理方法有_____、_____、_____等。

3-2 零件的截面形状一定,当截面尺寸增大时,其疲劳极限值将随之_____。

(1)增高 (2)不变 (3)降低

3-3 机械零件受载时,在_____处产生应力集中,应力集中的程度通常随材料强度的增大而_____。

3-4 在载荷和几何形状相同的情况下,钢制零件间的接触应力_____铸铁零件间的接触应力,这是因为钢材的弹性模量_____铸铁的弹性模量。

(1)大于 (2)等于 (3)小于

3-5 两零件的材料和几何尺寸都不相同,以曲面接触受载时,两者的接触应力值_____。

(1)相等 (2)不相等 (3)是否相等与材料和几何尺寸有关

二、分析与思考题

3-6 试举例说明什么零件的疲劳破坏属于低周疲劳破坏,什么零件的疲劳破坏属于高周疲劳破坏。

3-7 在材料的疲劳曲线上,为何需要人为规定一循环基数 N_0,并将对应的极限应力称为材料的疲劳极限?

3-8 图示各零件均受静载荷作用,试判断零件上点 A 的应力是静应力还是变应力,并确定应力比 r 的大小或范围。

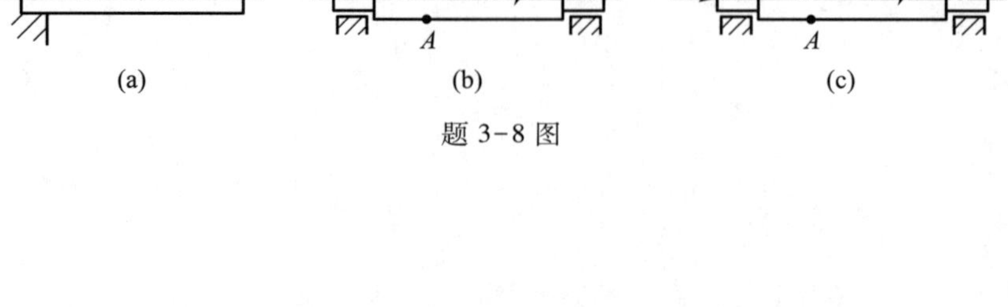

题 3-8 图

3-9 弯曲疲劳极限的综合影响系数 K_σ 的含义是什么？它与哪些因素有关？它对零件的疲劳强度和静强度各有什么影响？

3-10 零件的等寿命疲劳曲线与材料试件的等寿命疲劳曲线有什么区别？在相同的应力变化规律下，零件和材料试件的失效形式是否总是相同的？为什么？

3-11 试说明承受循环变应力的机械零件，在什么情况下可按静强度条件计算，什么情况下需按疲劳强度条件计算。

3-12 在单向稳定变应力下工作的零件，如何确定其极限应力？

3-13 疲劳损伤线性累积假说的含义是什么？写出其数学表达式。

3-14 在双向稳定变应力下工作的零件，怎样进行疲劳强度计算？

3-15 影响机械零件疲劳强度的主要因素有哪些？提高机械零件疲劳强度的措施有哪些？

3-16 导致机械结构发生低应力断裂的原因有哪些？

3-17 机械结构的裂纹是否会失稳扩展？是如何判定的？

三、设计计算题

3-18 某材料的对称循环弯曲疲劳极限 $\sigma_{-1}=350$ MPa，屈服极限 $\sigma_S=550$ MPa，强度极限 $\sigma_B=750$ MPa，循环基数 $N_0=5\times10^6$，$m=9$，试求对称循环次数 N 分别为 5×10^4 次、5×10^5 次、5×10^7 次时的极限应力。

3-19 某零件如图所示，材料的强度极限 $\sigma_B=650$ MPa，表面精车，不进行强化处理。试确定 I—I 截面处的弯曲疲劳极限的综合影响系数 K_σ 和剪切疲劳极限的综合影响系数 K_τ。

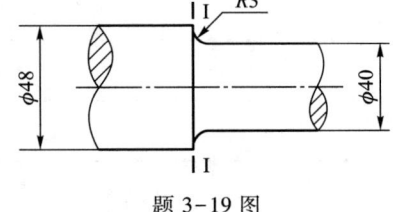

题 3-19 图

3-20 一零件由 45 钢制成，材料的力学性能为：$\sigma_S=360$ MPa，$\sigma_{-1}=300$ MPa，$\psi_\sigma=0.2$。已知零件上的最大工作应力 $\sigma_{max}=190$ MPa，最小工作应力 $\sigma_{min}=110$ MPa，应力变化规律为 $\sigma_m=$ 常数，弯曲疲劳极限的综合影响系数 $K_\sigma=2.0$，试分别用图解法和计算法确定该零件的计算安全系数。

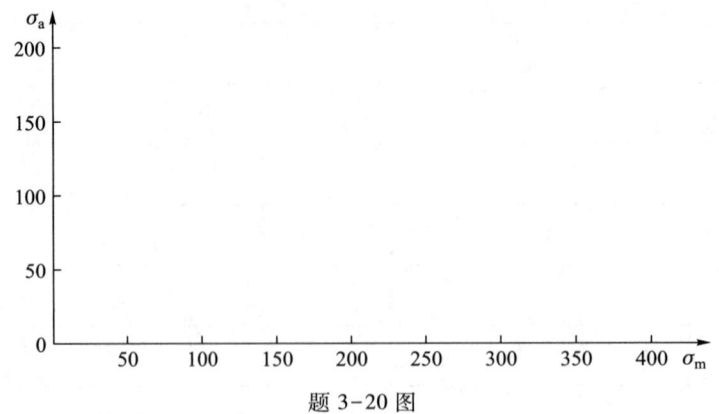

题 3-20 图

3-21 某材料受弯曲变应力作用，其力学性能为：$\sigma_{-1}=350$ MPa，$m=9$，$N_0=5\times10^6$。现用此材料的试件进行试验，以对称循环变应力 $\sigma_1=500$ MPa 作用 10^4 次，$\sigma_2=400$ MPa 作用 10^5 次，

$\sigma_3 = 300$ MPa 作用 10^6 次。试确定：

(1) 该试件在此条件下的计算安全系数；

(2) 如果试件再作用 $\sigma = 450$ MPa 的应力，还能循环多少次试件才破坏？

3-22 转轴的局部结构如题 3-19 图所示。已知轴的 I—I 截面承受的弯矩 $M = 300$ N·m，扭矩 $T = 800$ N·m，弯曲应力为对称循环，扭转切应力为脉动循环。轴材料为 40Cr 调质，$\sigma_{-1} = 355$ MPa，$\tau_{-1} = 200$ MPa，$\psi_\sigma = 0.2$，$\psi_\tau = 0.1$。设 $K_\sigma = 2.2$，$K_\tau = 1.8$，试计算考虑弯矩和扭矩共同作用时的计算安全系数 S_{ca}。

3-23 某气缸盖螺栓连接，螺栓杆应力的均值 $\mu_s = 525$ MPa，其标准差 $\sigma_s = 30$ MPa，螺栓材料强度极限的均值 $\mu_r = 600$ MPa，其标准差 $\sigma_r = 40$ MPa。若应力和强度极限均服从正态分布，试求该螺栓连接的可靠度。

第五章　螺纹连接和螺旋传动

一、选择与填空题

5-1 普通螺纹的公称直径指的是螺纹的_____，计算螺纹的摩擦力矩时使用的是螺纹的_____，计算螺纹危险截面时使用的是螺纹的_____。

5-2 螺纹升角 ϕ 增大，则连接的自锁性_____，传动的效率_____；牙型角 α 增大，则连接的自锁性_____，传动的效率_____。

(1) 提高　　　(2) 不变　　　(3) 降低

5-3 在六角头加强杆螺栓[①]连接中，螺栓杆与孔的配合为_____。

(1) 间隙配合　　(2) 过渡配合　　(3) 过盈配合

5-4 在螺栓连接的破坏形式中，约有_____%的螺栓属于疲劳破坏，疲劳断裂常发生在_____。

5-5 在承受横向载荷或旋转力矩的普通紧螺栓组连接中，螺栓杆_____作用。

(1) 受切应力　(2) 受拉应力　(3) 受扭转切应力和拉应力　(4) 既可能只受切应力又可能只受拉应力

5-6 紧螺栓连接受轴向外载荷。假定螺栓的刚度 C_b 与被连接件的刚度 C_m 相等，连接的预紧力为 F_0，要求受载后接合面不分离，当外载荷 F 等于预紧力 F_0 时，则_____。

(1) 被连接件分离，连接失效　(2) 被连接件即将分离，连接不可靠　(3) 连接可靠，但不能继续再加载　(4) 连接可靠，只要螺栓强度足够，还可以继续加大外载荷 F

二、分析与思考题

5-7 常用螺纹有哪几种牙型？各用于什么场合？对连接螺纹和传动螺纹的要求有什么不同？

5-8 在螺栓连接中，不同的载荷类型要求不同的螺纹余留长度，这是为什么？

5-9 连接螺纹都具有良好的自锁性，为什么有时还需要防松装置？试各举出两个机械防松和摩擦防松的例子。

---

① 六角头加强杆螺栓（GB/T 27—2013）以前称为铰制孔用螺栓。

5-10 普通螺栓连接和六角头加强杆螺栓连接的主要失效形式是什么？计算准则是什么？

5-11 计算普通螺栓连接时，为什么只考虑螺栓危险截面的拉伸强度，而不考虑螺栓头、螺母和螺纹牙的强度？

5-12 普通紧螺栓连接所受到的轴向工作载荷或横向工作载荷为脉动循环时，螺栓上的总载荷是什么循环？

5-13 螺栓的性能等级为 8.8 级，与它相配的螺母的性能等级应为多少？性能等级数字代号的含义是什么？

5-14 在什么情况下，普通螺栓连接的安全系数大小与螺栓直径有关？试说明其原因。

5-15 紧螺栓连接所受轴向变载荷在 $0 \sim F$ 间变化，当预紧力 F_0 一定时，改变螺栓或被连接件的刚度，对螺栓连接的疲劳强度和连接的紧密性有何影响？

5-16 在保证螺栓连接紧密性要求和静强度要求的前提下，要提高螺栓连接的疲劳强度，应如何改变螺栓和被连接件的刚度及预紧力大小？试通过受力变形线图来说明。

5-17 为什么螺母的螺纹圈数不宜过多？通常采用哪些结构形式可使螺纹连接处各圈螺纹牙的载荷分布趋于均匀？

5-18 滑动螺旋的主要失效形式是什么？其基本尺寸（即螺杆直径及螺母高度）通常是根据什么条件确定的？

5-19 滚动螺旋传动与滑动螺旋传动相比较，有何优缺点？

三、设计计算题

5-20 如图所示，两根梁用 8 个 4.6 级普通螺栓与两块钢盖板相连接，梁受到的拉力 $F = 28$ kN，摩擦系数 $f = 0.2$，控制预紧力，试确定所需螺栓的直径。

解：已知螺栓数目 $z = 8$，接合面数 $i = 2$，取防滑系数 $K_s = 1.2$，则螺栓所需预紧力 F_0 为

$$F_0 \geqslant \frac{K_s F}{fzi} = \frac{1.2 \times 28\,000}{0.2 \times 8 \times 2} \text{ N} = 10\,500 \text{ N}$$

查主教材中的表 5-9，得 $\sigma_s = 240$ MPa，查表 5-8，取安全系数 $S = 1.3$，则 $[\sigma] = \sigma_s / S = (240/1.3)$ MPa = 184.6 MPa，所需螺栓的直径

$$d_1 \geqslant \sqrt{\frac{4 \times 1.3 \times F_0}{\pi \times [\sigma]}} = \sqrt{\frac{4 \times 1.3 \times 10\,500}{\pi \times 184.6}} \text{ mm} = 9.7 \text{ mm}$$

取整后得螺栓尺寸 $d = 10$ mm，螺纹为 M10。

注：解中有两处错误，请指出错处并说明错误原因。

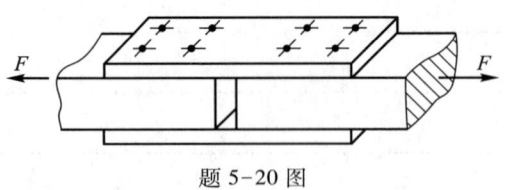

题 5-20 图   题 5-21 图

5-21 如图所示，一牵引钩用 2 个 M12（$d_1 = 10.106$ mm）的普通螺栓固定于机体上，已知接合面间摩擦系数 $f = 0.2$，防滑系数 $K_s = 1.2$，螺栓材料强度级别为 6.8 级，安全系数 $S = 3$，试计算

该螺栓组连接允许的最大牵引力 F。

5-22 图示为一气缸盖螺栓组连接。已知气缸内的工作压力 p 在 $0\sim1.5$ MPa 变化,缸盖与缸体均为钢制,其结构尺寸如图所示。为保证气密性要求,试选择螺栓材料,并确定螺栓数目和尺寸。

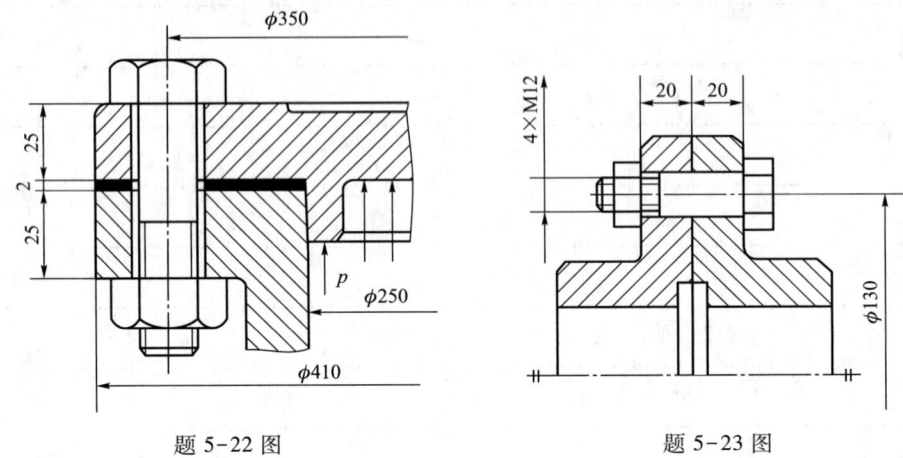

题 5-22 图　　　　　　题 5-23 图

5-23 图示凸缘联轴器允许传递的最大转矩 $T=630$ N·m,两半联轴器采用 4 个 M12 的六角头加强杆螺栓连接,螺栓规格为 M12×60,螺纹段长 22 mm,螺栓的性能等级为 8.8 级,联轴器材料为 HT200,试校核其连接强度。

5-24 受轴向载荷的紧螺栓连接,被连接钢板间采用橡胶垫片,螺栓的相对刚度为 0.9。已知预紧力 $F_0=1\,500$ N,当轴向工作载荷 $F=1\,000$ N 时,求螺栓所受的总拉力及被连接件之间的残余预紧力。

5-25 六角头加强杆螺栓组连接的三种方案如图所示。已知 $L=300$ mm,$a=60$ mm,试求螺栓连接的三个方案中,受力最大的螺栓所受的力各为多少？哪个方案较好？

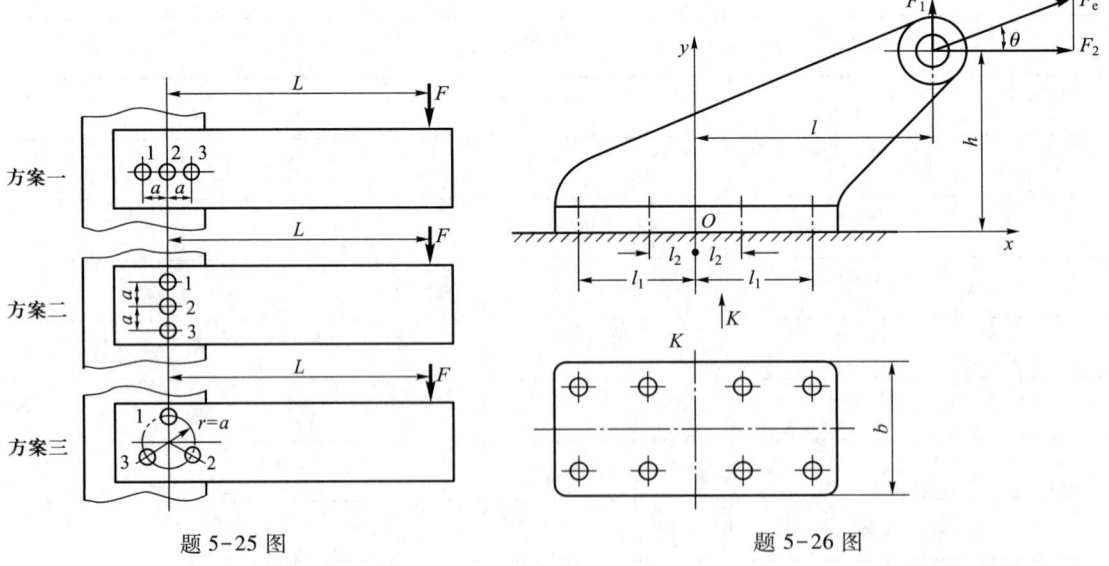

题 5-25 图　　　　　　题 5-26 图

5-26 如图所示的底板螺栓组连接受外力 F_e 的作用。外力 F_e 作用在包含 x 轴并垂直于底板接合面的平面内。试分析底板螺栓组的受力情况,并判断哪个螺栓受力最大,保证连接安全工作的必要条件有哪些?

四、结构设计与分析题

5-27 试指出下列图中的错误结构,并画出正确的结构图。

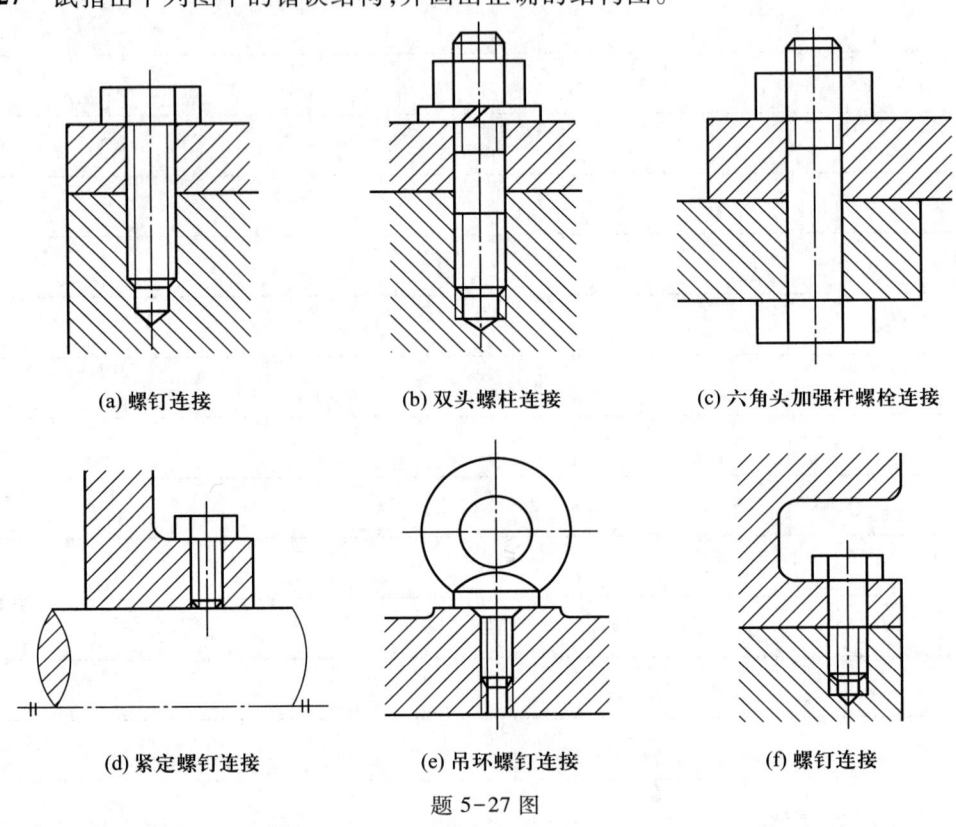

题 5-27 图

第七章 铆接、焊接、胶接和过盈连接

一、选择与填空题

7-1 沿受载方向,同一列的铆钉数目不宜过多,这是由于_____。
(1) 被铆件受削弱　　(2) 铆钉强度降低　　(3) 铆钉受力不均　　(4) 加工不便

7-2 电弧焊缝大体上可分为_____与_____两类,前者用于连接_____的被焊件,后者用于连接_____的被焊件。

7-3 设计胶接接头时,应尽可能使胶缝承受_____或_____载荷。

7-4 影响过盈连接承载能力最为敏感的因素是配合面的_____。

(1) 直径尺寸　　　　(2) 长度尺寸　　　　(3) 表面粗糙度　　　(4) 过盈量

(5) 摩擦系数

7-5　在过盈连接中,当其他条件相同时,仅将实心轴改为空心轴,则连接所能传递的载荷将_____。

(1) 增大　　　　　　(2) 不变　　　　　　(3) 减小

二、分析与思考题

7-6　按铆缝的性能不同,铆缝有哪些类型？各应用在什么场合？

7-7　铆钉连接的破坏形式有哪些？怎样校核铆缝的强度？

7-8　什么叫焊缝的强度系数？怎样才能使对接焊缝的强度不低于母板的强度？

7-9　在什么情况下采用不对称侧面焊缝？如何分配两侧焊缝的长度？

7-10　胶黏剂通常分为哪几类？各适用于什么场合？

7-11　与铆接和焊接相比较,胶接的主要优缺点是什么？

7-12　过盈连接有哪几种装配方法？当过盈量相同时,哪种装配方法的连接紧固性好？

7-13　过盈连接的承载能力是由哪些因素决定的？

7-14　在对过盈连接进行验算时,若发现包容件或被包容件的强度不够时,可采取哪些措施来提高连接强度？

三、设计计算题

7-15　如图所示的铆接接头承受静载荷 $F = 200$ kN,铆钉材料为 Q215 钢,被铆件材料为 Q235 钢,被铆件的宽度 $b = 180$ mm,厚度 $\delta = 10$ mm,钉孔是在两被铆件上分别按样板钻孔。设铆钉直径 $d = 2\delta$,节距 $t = 3d$,边距 $e = 2.5d$,试校核该铆缝的强度。

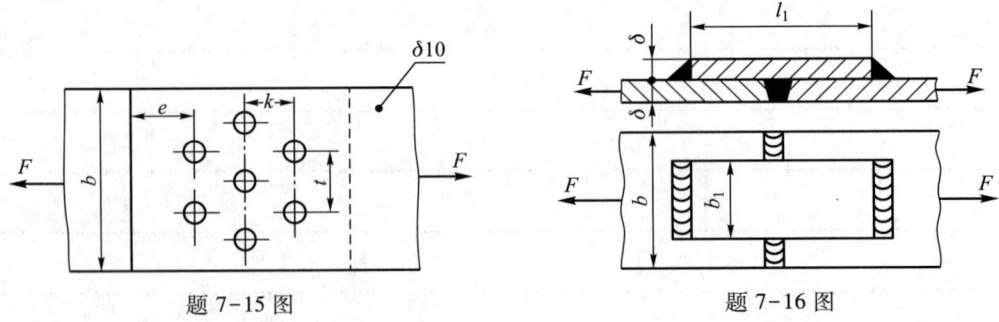

题 7-15 图　　　　　　　　　　　题 7-16 图

7-16　焊接接头如图所示,被焊件材料均为 Q235 钢,$b = 170$ mm,$b_1 = 80$ mm,$\delta = 12$ mm,承受静载荷 $F = 400$ kN,设采用 E4303 号焊条手工焊接,试校核该接头的强度。

7-17　铸锡磷青铜蜗轮轮圈与铸钢轮芯采用过盈连接,尺寸如图所示,采用 H7/s6 配合,配合表面粗糙度 Ra 均为 0.8 μm,摩擦系数 $f = 0.1$,设连接零件本身的强度足够,试求:

(1) 用压入法装配时,该连接允许传递的最大转矩是多少？

(2) 用胀缩法装配时,该连接允许传递的最大转矩是多少？

7-18　小齿轮与轴为过盈连接,尺寸如图所示,材料均为 45 钢,采用 H7/p6 配合,孔与轴配合表面粗糙度 Ra 均为 0.8 μm,用压入法装配。试求:

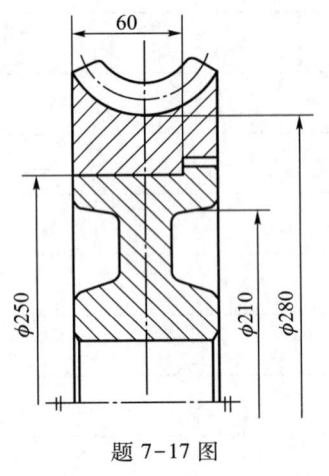

题 7-17 图

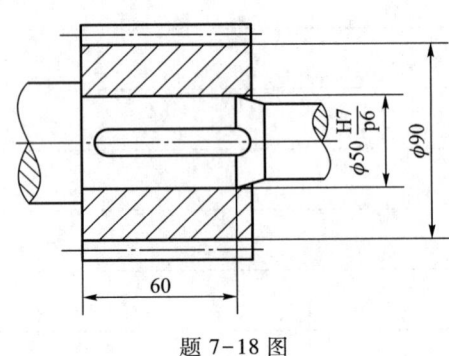

题 7-18 图

(1) 配合表面间单位面积上的最大压力；
(2) 所需的最大压入力；
(3) 各零件中的最大应力。

四、连接篇综合题

7-19 轴和轮毂分别采用切向键连接、渐开线花键连接和胀紧连接。已知轴的直径 $d = 100$ mm，轮毂宽度 $L = 150$ mm，轴和轮毂的材料均为碳钢，取许用挤压应力 $[\sigma_{bs}] = 100$ MPa。渐开线花键的模数 $m = 5$ mm，齿数 $z = 19$，外花键的大径 $D = 100$ mm，分度圆压力角 $\alpha = 30°$。胀紧连接采用两个 ZJ2 型胀套串联。试计算这三种连接各允许传递的最大转矩。

7-20 如图所示，两轴通过凸缘联轴器连接，轴的直径 $d = 30$ mm，轴伸长度 $L_1 = 60$ mm，联轴器与轴采用 A 型普通平键连接，键长 $L = 50$ mm。两半联轴器用 4 个 M8 的普通螺栓连接，螺栓中心分布圆直径 $D_0 = 90$ mm，螺栓的性能等级为 8.8 级，不控制预紧力。轴的材料为 45 钢，联轴器的材料为 HT200。试计算此联轴器所允许传递的最大转矩（载荷平稳）。

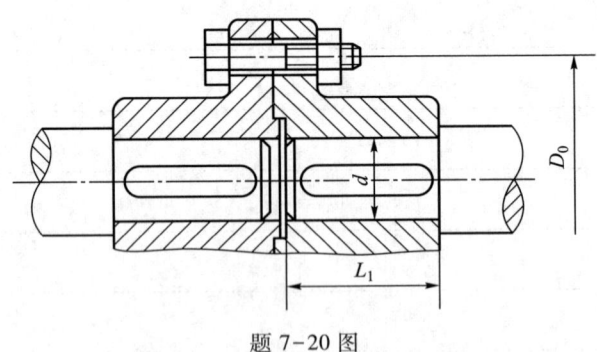

题 7-20 图

第九章 链 传 动

一、选择与填空题

9-1 与齿轮传动相比较,链传动的主要特点之一是_____。
(1)适合于高速 (2)制造成本高 (3)安装精度要求较低 (4)有过载保护

9-2 滚子链由滚子、套筒、销轴、内链板和外链板组成,其_____之间、_____之间分别为过盈配合,而_____之间、_____之间分别为间隙配合。

9-3 链条的磨损主要发生在_____的接触面上。

9-4 在链传动中,链轮的转速_____,节距_____,齿数_____,则传动的动载荷越大。

9-5 链传动的主要失效形式有_____四种。在润滑良好、中等速度的链传动中,其承载能力主要取决于_____。

二、分析与思考题

9-6 与带传动相比,链传动有何优缺点?

9-7 在多排链传动中,链的排数过多有何不利?

9-8 对链轮材料的基本要求是什么?对大、小链轮的硬度要求有何不同?

9-9 齿形链与滚子链相比有何优缺点?

9-10 国家标准对滚子链齿形是如何规定的?

9-11 为什么链传动的平均传动比是常数,而在一般情况下瞬时传动比不是常数?

9-12 链传动的额定功率曲线是在什么条件下得到的?当所设计的链传动与上述条件不符合时,要进行哪些项目的修正?

9-13 若只考虑链条铰链的磨损,脱链通常发生在哪个链轮上?为什么?

9-14 为什么小链轮齿数不宜过多或过少?

9-15 链节距的大小对链传动有何影响?在高速、重载工况下,应如何选择滚子链?

9-16 链传动的中心距一般取为多少?中心距过大或过小对传动有何不利?

9-17 链传动有哪几种润滑方式?设计时应如何选择润滑方式?

9-18 有一链传动,小链轮主动,转速 $n_1 = 900$ r/min,齿数 $z_1 = 25$、$z_2 = 75$。现因工作需要,拟将大链轮的转速降低到 $n_2 \approx 250$ r/min,链条长度不变,试问:

(1)若从动轮齿数不变,应将主动轮齿数减小到多少?此时链条所能传递的功率有何变化?

(2)若主动轮齿数不变,应将从动轮齿数增大到多少?此时链条所能传递的功率有何变化?

三、设计计算题

9-19 滚子链传动传递的功率 $P = 8.5$ kW,工况系数 $K_A = 1.2$,主动链轮转速 $n_1 = 960$ r/min、齿数 $z_1 = 21$,从动链轮转速 $n_2 = 330$ r/min,中心距 $a \leq 600$ mm,链节距 $p = 12.7$ mm,试计算需要几排链?

9-20 单排滚子链传动,主动链轮转速 $n_1 = 600$ r/min、齿数 $z_1 = 21$,从动链轮齿数 $z_2 = 105$,

中心距 $a=910$ mm,链节距 $p=25.4$ mm,工况系数 $K_A=1.2$,试求链传动所允许传递的功率 P。

9-21 设计一输送装置用的链传动。已知传递的功率 $P=16.8$ kW,主动轮转速 $n_1=960$ r/min,传动比 $i=3.5$,原动机为电动机,工作载荷冲击较大,中心距 $a\leqslant 800$ mm,水平布置。

第十一章 蜗杆传动

一、选择与填空题

11-1 在蜗杆传动中,蜗杆头数越少,则传动效率越_____,自锁性越_____。一般蜗杆头数常取_____。

11-2 对滑动速度 $v_s\geqslant 4$ m/s 的重要蜗杆传动,蜗杆的材料可选用_____进行_____处理;蜗轮的材料可选用_____。

11-3 对闭式蜗杆传动进行热平衡计算,其主要目的是防止温升过高导致_____。
(1) 材料的机械性能下降　(2) 润滑油变质　(3) 蜗杆热变形过大　(4) 润滑条件恶化

11-4 蜗杆传动的当量摩擦系数 f_v 随齿面相对滑动速度的增大而_____。
(1) 增大　(2) 不变　(3) 减小

11-5 蜗杆传动的相对滑动速度 $v_s<5$ m/s 时采用_____润滑;$v_s>10$ m/s 时应采用_____润滑。

二、分析与思考题

11-6 蜗杆传动与齿轮传动相比有何特点?常用于什么场合?

11-7 与普通圆柱蜗杆传动相比,圆弧圆柱蜗杆传动、环面蜗杆传动、锥蜗杆传动各有何特点?各适用于什么场合?

11-8 普通圆柱蜗杆主要有哪几种类型?其中哪几种蜗杆不便于磨削,精度较低?

11-9 在车床上用直线刀刃的刀具加工蜗杆,什么情况下用单刀?什么情况下用双刀?为什么?

11-10 在普通圆柱蜗杆传动中,为什么将蜗杆的分度圆直径规定为标准值?

11-11 采用变位蜗杆传动的目的是什么?变位蜗杆传动与变位齿轮传动相比有何特点?

11-12 影响蜗杆传动效率的主要因素有哪些?为什么传递大功率时很少用普通圆柱蜗杆传动?

11-13 蜗轮材料的许用接触应力,有的与相对滑动速度大小有关,而与应力循环次数无关;有的则相反,试说明其原因。

11-14 对于蜗杆传动,下面三式有无错误?为什么?
(1) $i=\omega_1/\omega_2=n_1/n_2=z_2/z_1=d_2/d_1$;
(2) $a=(d_1+d_2)/2=m(z_1+z_2)/2$;
(3) $F_{t2}=2T_2/d_2=2T_1i/d_2=2T_1/d_1=F_{t1}$。

11-15 图示蜗杆传动均是以蜗杆为主动件。试在图上标出蜗轮(或蜗杆)的转向,蜗轮齿

的螺旋线方向,蜗杆、蜗轮所受各分力的方向。

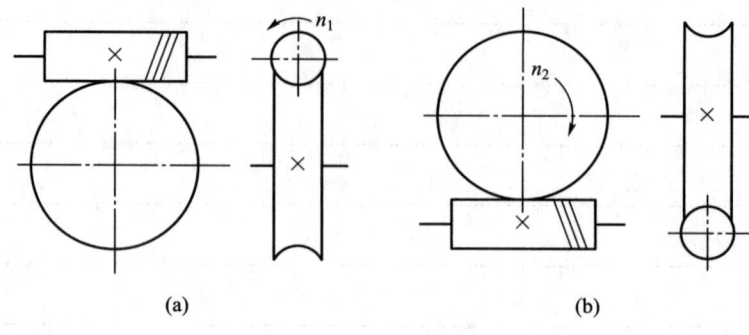

题 11-15 图

11-16 蜗杆传动中为何常以蜗杆为主动件？蜗轮能否作为主动件？为什么？

11-17 图示为简单手动起重装置。若按图示方向转动蜗杆,提升重物 G,试确定：

(1) 蜗杆和蜗轮齿的旋向；

(2) 蜗轮所受作用力的方向（画出）；

(3) 当提升重物或降下重物时,蜗轮轮齿是单侧受载还是双侧受载？

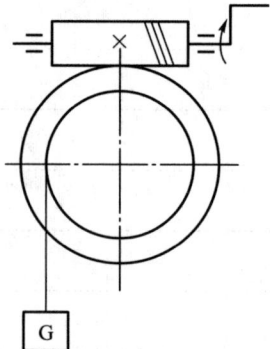

题 11-17 图

11-18 在动力蜗杆传动中,蜗轮的齿数在什么范围内选取？齿数过多或过少有何不利？

11-19 选择蜗杆、蜗轮材料的原则是什么？

11-20 蜗杆传动设计中为何特别重视发热问题？如何进行热平衡计算？常用的散热措施有哪些？

11-21 为什么蜗杆传动要进行蜗杆的刚度计算？对于常用的两端支承蜗杆轴如何进行刚度计算？

11-22 为什么普通圆柱蜗杆传动的承载能力主要取决于蜗轮轮齿的强度？用碳钢或合金钢制造蜗轮有何不利？

三、设计计算题

11-23 图示为某起重设备的减速装置。已知各轮齿数 $z_1=z_2=20$、$z_3=60$、$z_4=2$、$z_5=40$,轮 1 转向如图所示,卷筒直径 $D=136$ mm。试求：

(1) 此时重物是上升还是下降？

(2) 设系统效率 $\eta=0.68$,为使重物上升,施加在轮 1 上的驱动力矩 $T_1=10$ N·m,问重物的重量是多少？

11-24 蜗轮滑车如图所示,起重力 $F=10$ kN,蜗杆头数 $z_1=2$,模数 $m=6.3$ mm,分度圆直径 $d_1=63$ mm,蜗轮齿数 $z_2=40$,卷筒直径 $D=148$ mm,蜗杆传动的当量摩擦系数 $f_v=0.1$,轴承、溅油和链传动的功率损失为 8%,链轮直径 $D'=350$ mm,试求在链上的作用力 F',并验算蜗杆传动是否自锁。

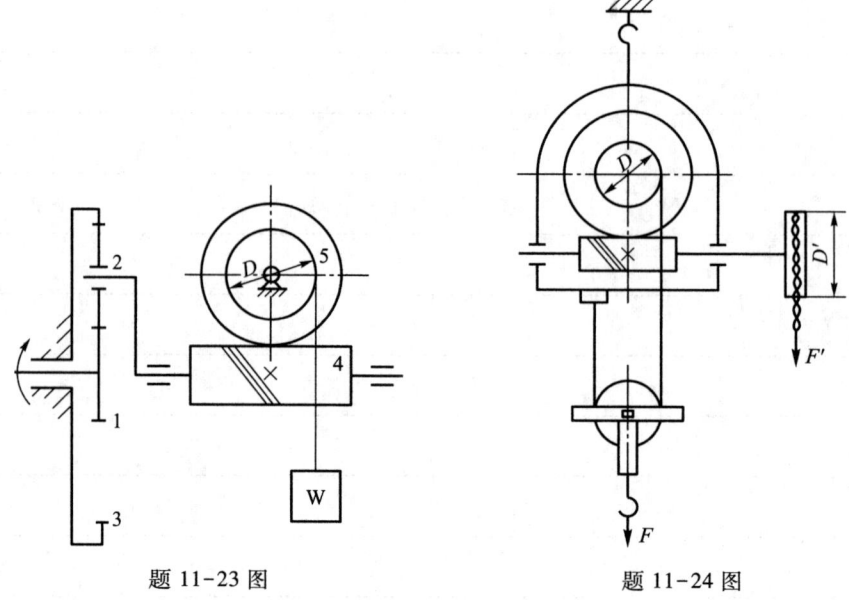

题 11-23 图 　　　　题 11-24 图

11-25 试设计轻纺机械中的一单级蜗杆减速器,传递功率 $P_1 = 8.5$ kW,主动轴转速 $n_1 = 1\,460$ r/min,传动比 $i = 20$,载荷平稳,单向工作,长期连续运转,润滑情况良好,工作寿命 $L_h = 15\,000$ h。

11-26 已知一蜗杆传动,蜗杆为主动件,转速 $n_1 = 1\,440$ r/min,蜗杆头数 $z_1 = 2$,模数 $m = 4$ mm,蜗杆直径系数 $q = 10$,蜗杆材料为钢,齿面硬度大于 45 HRC,磨削,蜗轮材料为锡青铜,求该传动的啮合效率。

11-27 设计用于带式输送机的普通圆柱蜗杆减速器,传递功率 $P_1 = 7.5$ kW,蜗杆转速 $n_1 = 970$ r/min,传动比 $i = 18$,由电动机驱动,载荷平稳。蜗杆材料为 20Cr,渗碳淬火,硬度大于 58 HRC。蜗轮材料为 ZCuSn10P1,金属模铸造。蜗杆减速器每日工作 8 h,工作寿命为 7 年(每年 250 个工作日)。

四、传动篇综合题

11-28 在图示传动系统中,件 1、5 为蜗杆,件 2、6 为蜗轮,件 3、4 为斜齿圆柱齿轮,件 7、8 为直齿锥齿轮。已知蜗杆 1 为主动件,要求输出齿轮 8 的回转方向如图所示。试确定:

(1) 各轴的回转方向(画在图上);

(2) 考虑 Ⅰ、Ⅱ、Ⅲ 轴上所受轴向力能抵消一部分,定出各轮的螺旋线方向(画在图上);

(3) 画出各轮的轴向分力的方向。

11-29 图示为三级减速装置传动方案简图,要求总传动比 $i = 50$,这样布置是否合理?为什么?试画出合理的传动方案简图(不采用蜗杆传动)。

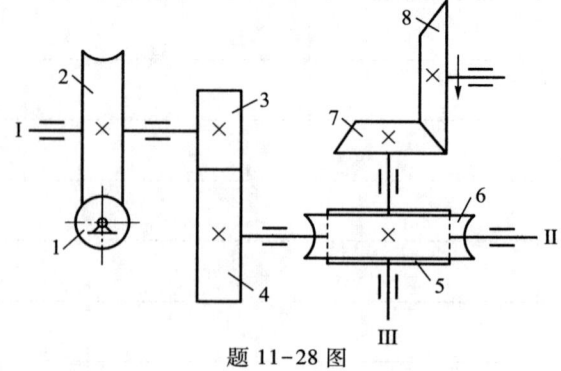

题 11-28 图

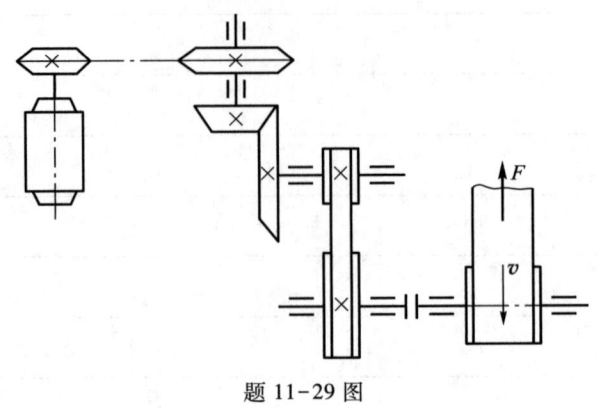

题 11-29 图

第十三章 滚 动 轴 承

一、选择与填空题

13-1 说明下列型号滚动轴承的类型、内径、公差等级、尺寸系列和结构特点:6306、51316、N316/P6、30306、6306/P5、30206。并指出其中具有下列特征的轴承:
(1) 径向承载能力最高和最低的轴承分别是_____和_____;
(2) 轴向承载能力最高和最低的轴承分别是_____和_____;
(3) 极限转速最高和最低的轴承分别是_____和_____;
(4) 公差等级最高的轴承是_____;
(5) 承受轴向径向联合载荷的能力最高的轴承是_____。

13-2 若一滚动轴承的基本额定寿命为 537 000 转,则该轴承所受的当量动载荷_____基本额定动载荷。
(1) 大于　　　(2) 等于　　　(3) 小于

13-3 在保证轴承工作能力的条件下,调心轴承内、外圈轴线间可倾斜的最大角度为_____,而深沟球轴承内、外圈轴线间可倾斜的最大角度为_____。
(1) 3′~4′　　(2) 8′~16′　　(3) 1°~2°　　(4) 2°~3°

13-4 滚动轴承的内径和外径的公差带均为_____,而且统一采用上偏差为_____,下偏差为_____的分布。

13-5 采用滚动轴承轴向预紧措施的主要目的是_____。
(1) 提高轴承的旋转精度　(2) 提高轴承的承载能力　(3) 降低轴承的运转噪声　(4) 提高轴承的使用寿命

13-6 各类滚动轴承的润滑方式,通常可根据轴承的_____来选择。
(1) 转速 n　　(2) 当量动载荷 P　　(3) 轴颈圆周速度 v　　(4) 内径与转速的乘积 dn

13-7 若滚动轴承采用脂润滑,则其装脂量一般为轴承内部空间容积的_____。

二、分析与思考题

13-8 写出滚动轴承的类型代号及名称,并说明各类轴承能承受何种载荷(径向或轴向)?

13-9 为什么30000型和70000型轴承常成对使用?成对使用时,什么叫正装及反装?什么叫"面对面"及"背靠背"安装?试比较正装与反装的特点。

13-10 滚动轴承的各元件一般采用什么材料及热处理方式?

13-11 滚动轴承基本额定动载荷 C 的含义是什么?当滚动轴承上作用的当量动载荷不超过 C 值时,轴承是否就不会发生点蚀破坏?为什么?

13-12 对于同一型号的滚动轴承,在某一工况条件下的基本额定寿命为 L。若其他条件不变,仅将轴承所受的当量动载荷增加一倍,轴承的基本额定寿命将为多少?

13-13 滚动轴承常见的失效形式有哪些?公式 $L=(C/P)^{\varepsilon}$ 是针对哪种失效形式建立起来的?计算出的 L 是什么含义?

13-14 你所学过的滚动轴承中,哪几类滚动轴承是内、外圈可分离的?

13-15 什么类型的滚动轴承在安装时要调整轴承游隙?常用哪些方法调整轴承游隙?

13-16 滚动轴承支承的轴系,其轴向固定的典型结构形式有三类:(1) 两支点各单向固定;(2) 一支点双向固定,另一支点游动;(3) 两支点游动。试问这三种类型各适用于什么场合?

13-17 滚动轴承的组合结构中为什么有时要采用预紧结构?预紧方法有哪些?

13-18 滚动轴承的回转套圈和不回转套圈与轴或机座装配时所取的配合性质有何不同?常选用什么配合?其配合的松紧程度与圆柱公差标准中相同配合有何不同?

13-19 在锥齿轮传动中,小锥齿轮的轴常支承在套杯里,采用这种结构形式有何优点?

13-20 滚动轴承常用的润滑方式有哪些?具体选用时应如何考虑?

13-21 接触式密封有哪几种常用的结构形式?分别适用于什么速度范围?

13-22 在唇形密封圈密封结构中,密封唇的方向与密封要求有何关系?

三、设计计算题

13-23 如图所示,轴的两端正装两个角接触球轴承,已知轴的转速 $n=750$ r/min,轴上的径向力 $F_{re}=2\,300$ N,轴向力 $F_{ae}=600$ N。试计算该对轴承的寿命 L_h。(已知:$C=22\,500$ N,$e=0.68$,$F_d=0.68F_r$,当 $F_a/F_r \leq e$ 时,$X=1$,$Y=0$;当 $F_a/F_r>e$ 时,$X=0.41$,$Y=0.87$,$f_d=1.5$,$f_t=1.0$。)

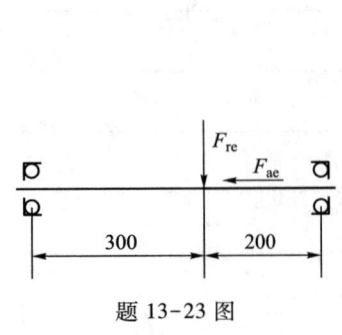

题 13-23 图

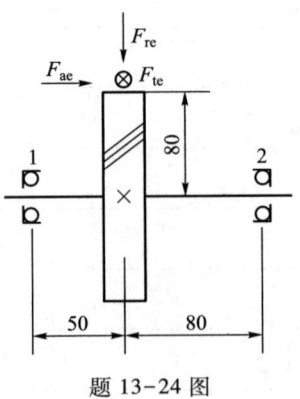

题 13-24 图

13-24 如图所示,轴上装有一斜齿圆柱齿轮,轴支承在一对正装的 7209AC 轴承上。齿轮轮齿上受到圆周力 $F_{te}=8\,100$ N,径向力 $F_{re}=3\,052$ N,轴向力 $F_{ae}=2\,170$ N,转速 $n=300$ r/min,载荷系数 $f_d=1.2$。试计算两个轴承的基本额定寿命(以 h 计)。

13-25 一根装有小锥齿轮的轴拟用图示的支承方案,两支点均选用圆锥滚子轴承。小锥齿轮传递的功率 $P=4.5$ kW(平稳),转速 $n=500$ r/min,平均分度圆半径 $r_m=100$ mm,分锥角 $\delta=16°$,要求轴颈直径 $d>20$ mm。其他尺寸如图所示。若希望轴承的基本额定寿命能超过 60 000 h,试选择合适的轴承型号。

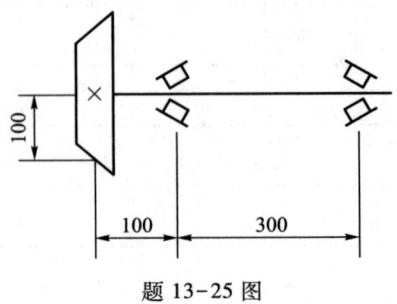

题 13-25 图

13-26 6215 轴承受径向载荷 $F_r=45.6$ kN,轴向载荷 $F_a=6.3$ kN,载荷平稳,$f_d=1.0$。试计算其当量动载荷 P。若在此当量动载荷作用下要求该轴承能正常旋转 10^6 转,其可靠度约为多少?

四、结构设计与分析题

13-27 按要求在给出的结构图中填画合适的轴承(图中箭头示意载荷方向)

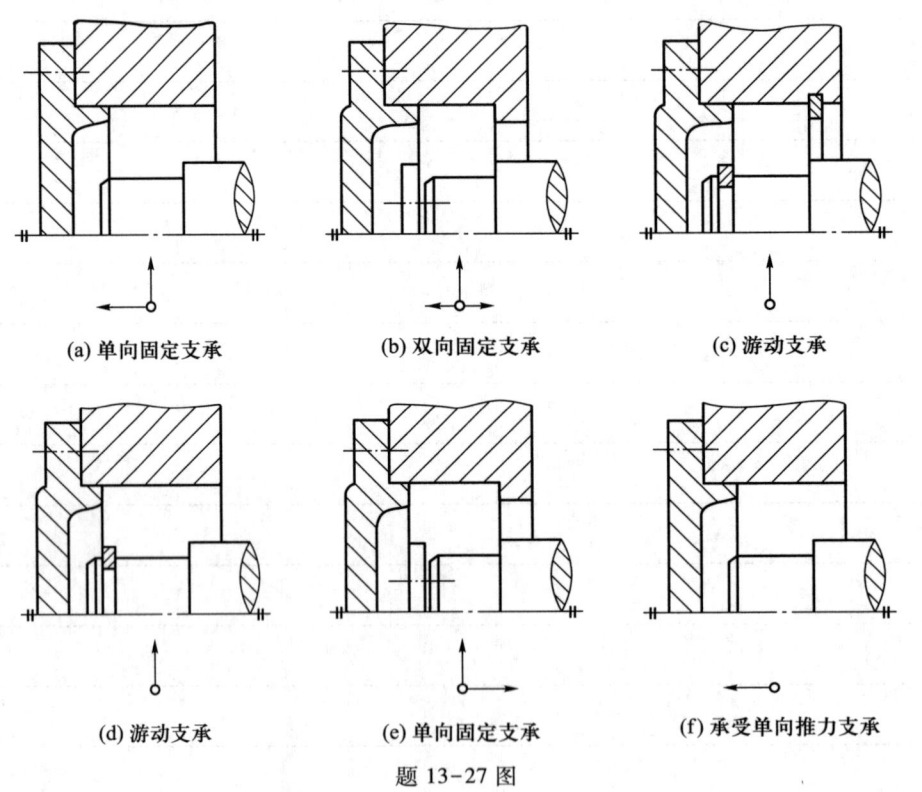

(a) 单向固定支承 (b) 双向固定支承 (c) 游动支承

(d) 游动支承 (e) 单向固定支承 (f) 承受单向推力支承

题 13-27 图

第十五章 轴

一、选择与填空题

15-1 当轴与轮毂为过盈配合时,较大的应力集中将发生在轴上_____。
(1)轮毂中间部位　　(2)沿轮毂两端部位　　(3)距离轮毂端部为 1/3 轮毂长度处

15-2 某 45 钢轴的刚度不足,可采取_____措施来提高其刚度。
(1)改用 40Cr　　(2)淬火处理　　(3)增大轴径　　(4)增大圆角半径

15-3 按弯扭合成强度条件计算轴的应力时,公式中折合系数 α 是考虑_____。
(1)材料抗弯与抗扭的性能不同　　(2)弯曲应力和扭转切应力的循环性质不同
(3)强度理论的要求

15-4 对轴进行表面强化处理,可以提高轴的_____。
(1)静强度　　(2)刚度　　(3)疲劳强度　　(4)耐冲击性能

二、分析与思考题

15-5 何为转轴、心轴和传动轴？试各举出两种应用实例。

15-6 试说明下面几种轴材料的适用场合，Q235A,45,1Cr18Ni9Ti,QT600-2,40CrNi。

15-7 轴的强度计算方法有哪几种？各适用于何种情况？

15-8 按弯扭合成强度和按疲劳强度校核轴时,危险截面应如何确定？确定危险截面时考虑的因素有何区别？

15-9 为什么要进行轴的静强度校核计算？这时是否要考虑应力集中等因素的影响？

15-10 经校核发现轴的疲劳强度不符合要求时,在不增大轴径的条件下,可采取哪些措施来提高轴的疲劳强度？

15-11 何谓轴的临界转速？轴的弯曲振动临界转速大小与哪些因素有关？

15-12 什么是刚性轴？什么是挠性轴？设计高速运转的轴时,应如何考虑轴的工作转速范围？

三、设计计算题

15-13 已知一传动轴的材料为 40Cr 调质,传递功率 $P = 12$ kW,转速 $n = 80$ r/min。试求：
(1)按扭转强度计算轴的直径；
(2)按扭转刚度计算轴的直径(设轴的允许扭转角 $[\varphi] \leq 0.5$ (°)/m)。

15-14 直径 $d = 75$ mm 的实心轴与外径 $d_0 = 85$ mm 的空心轴的扭转强度相等,设两轴的材料相同,试求该空心轴的内径 d_1 和减轻重量的百分率。

15-15 图示为一台二级圆锥-圆柱齿轮减速器简图,输入轴由左端看为逆时针转动。已知 $F_{t1} = 5\,000$ N, $F_{r1} = 1\,690$ N, $F_{a1} = 676$ N, $d_{m1} = 120$ mm, $d_{m2} = 300$ mm, $F_{t3} = 10\,000$ N, $F_{r3} = 3\,751$ N, $F_{a3} = 2\,493$ N, $d_3 = 150$ mm, $l_1 = l_3 = 60$ mm, $l_2 = 120$ mm, $l_4 = l_5 = l_6 = 100$ mm。试画出输入轴的计算简图,计算轴的支承反力,画出轴的弯矩图和扭矩图,并将计算结果标在图中。

15-16 根据题 15-15 中的已知条件,试画出中间轴的计算简图,计算轴的支承反力,画出

轴的弯矩图和扭矩图,并将计算结果标在图中。

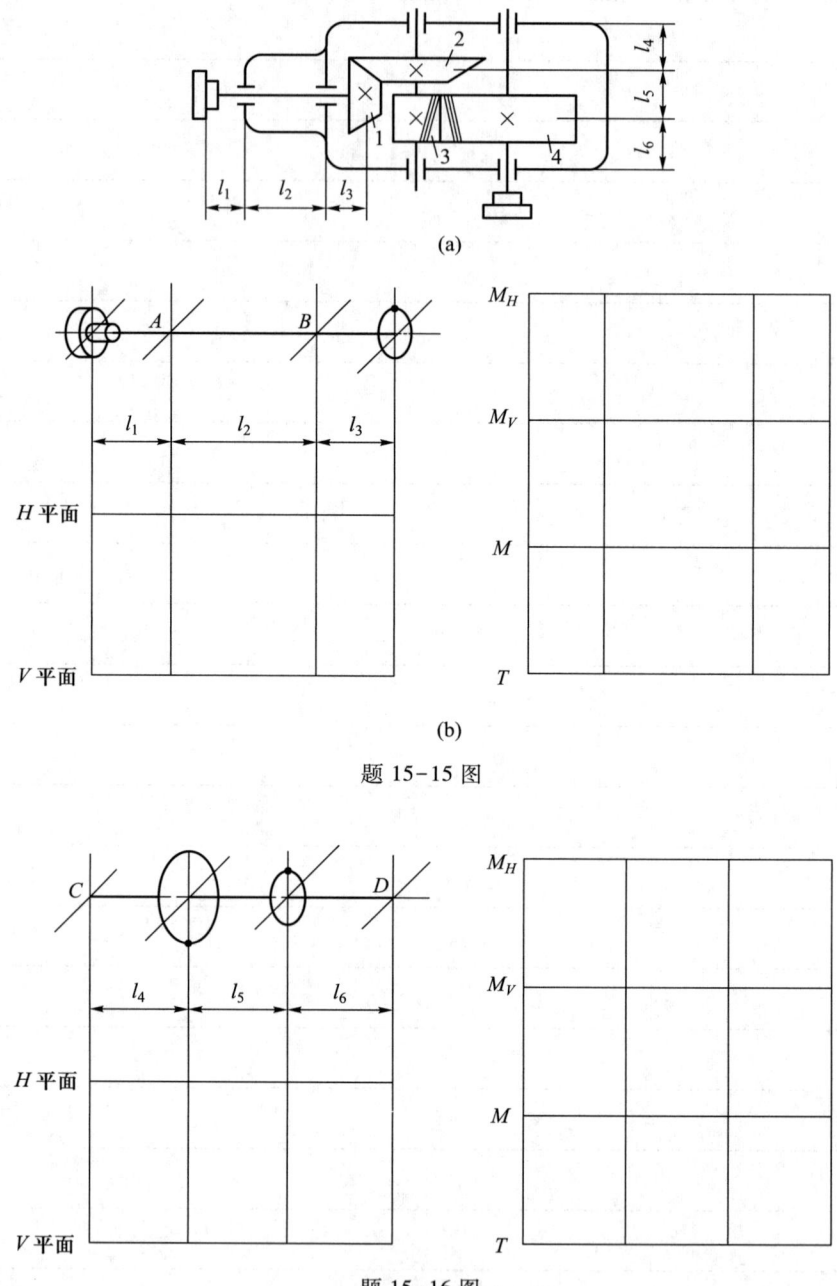

题 15-15 图

题 15-16 图

15-17 两级展开式斜齿圆柱齿轮减速器的中间轴的尺寸和结构如图所示。轴的材料为 45 钢,调质处理,轴单向运转,齿轮与轴均采用 H7/k6 配合,并采用圆头普通平键连接,轴肩处的圆角半径均为 $r=1.5$ mm。若已知轴所受扭矩 $T=292$ N·m,轴的弯矩图如图所示。试按弯扭

合成理论验算轴上截面 I 和 II 的强度，并精确验算轴的疲劳强度。

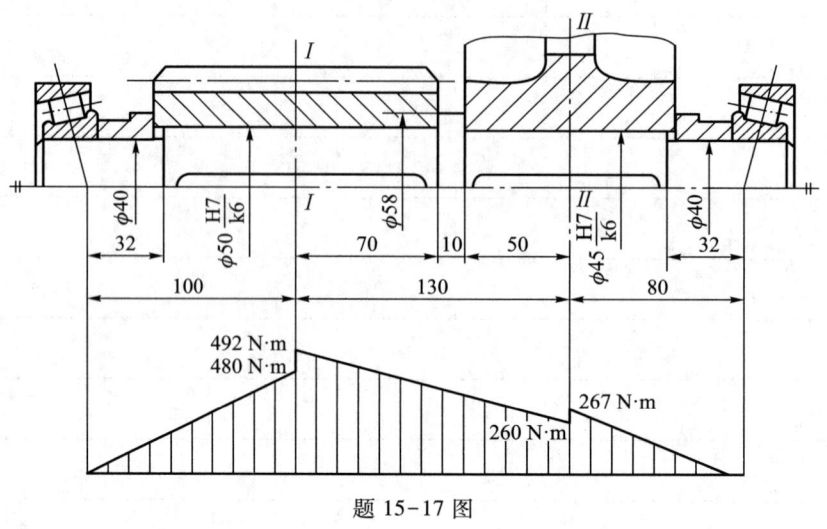

题 15-17 图

四、结构设计与分析题

15-18 试指出图示小锥齿轮轴系中的错误结构，并画出正确结构图。

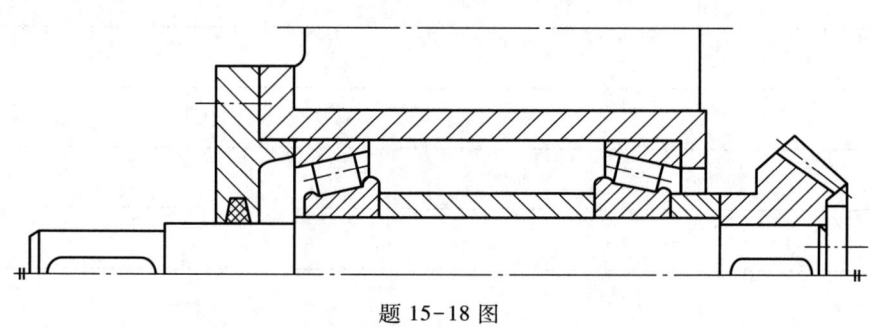

题 15-18 图

15-19 试指出图示斜齿圆柱齿轮轴系中的错误结构，并画出正确结构图。

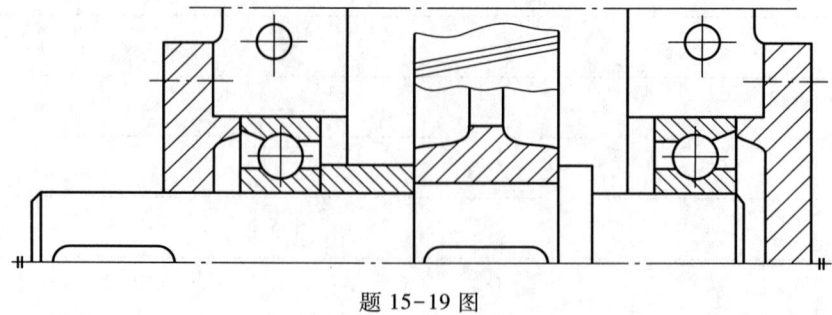

题 15-19 图

五、轴系零、部件篇综合题

15-20 图中轴端轴承采用圆螺母与止动垫片固定。已知轴承型号为6310,试确定图中的结构尺寸和尺寸公差,并将所选的圆螺母和止动垫片的标记标在图中。

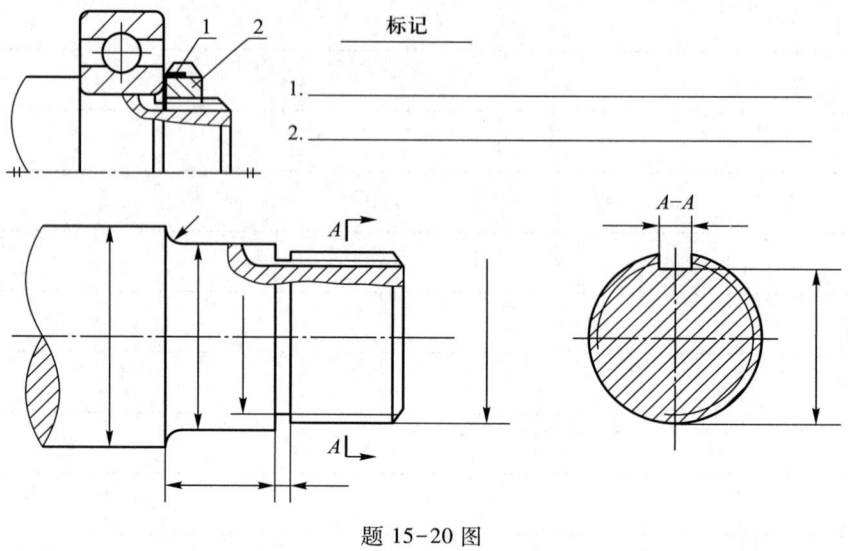

题 15-20 图

15-21 一蜗杆轴的局部装配关系如图所示,采用LX型弹性柱销联轴器,轴孔直径 $d = 32$ mm,轴伸出端的密封采用旋转轴唇形密封圈,采用6300系列深沟球轴承。试确定图中各结构尺寸、尺寸公差和表面粗糙度,并将所选轴端挡圈、密封圈、轴用弹性挡圈和滚动轴承的标记标在图中。

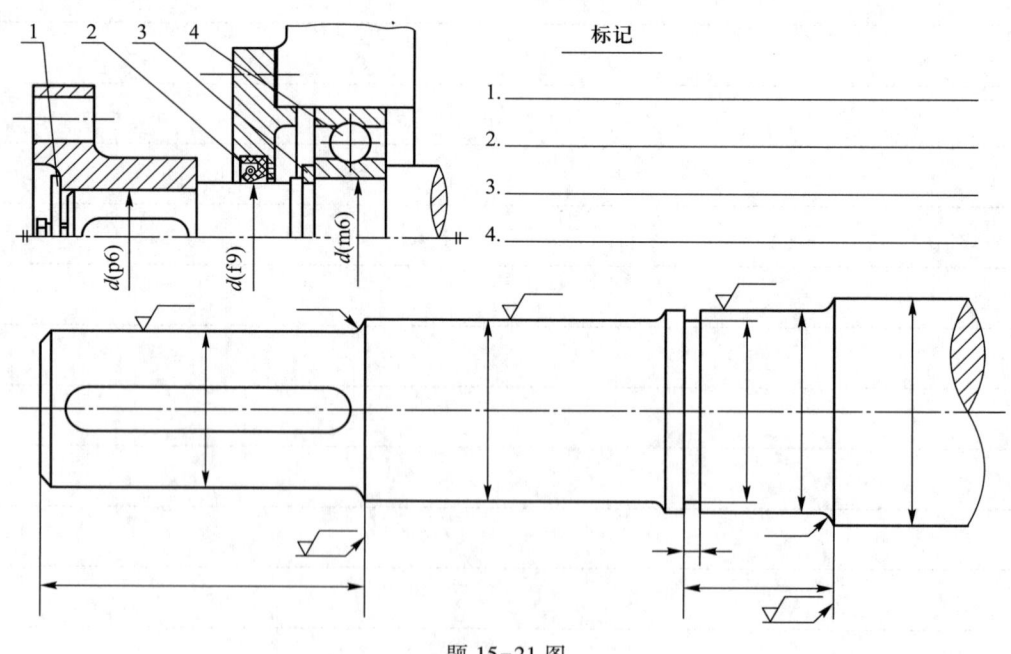

题 15-21 图

单元设计作业题

作业一　螺纹连接设计

任务书

题目：

1. 普通螺栓连接

用 M16 六角头螺栓（GB/T 5782—2016）连接两块厚度各为 25 mm 的钢板，采用弹簧垫圈（GB/T 93—1987）防松。

2. 六角头加强杆螺栓连接

用 M16 六角头加强杆螺栓（GB/T 27—2013）连接两块厚度各为 25 mm 的钢板。

3. 双头螺柱连接

用 M16 双头螺柱（GB/T 898—1988）连接厚 25 mm 的钢板和一个很厚的铸铁零件。

4. 螺钉连接

用 M16 六角头螺栓（GB/T 5782—2016）连接厚 25 mm 的铸铁凸缘和另一个很厚的铸铁零件，螺栓头与铸铁凸缘间加装平垫圈（GB/T 97.1—2016）。

要求：

（1）按题中给出的条件查手册确定标准连接零件的尺寸；

（2）按 1∶1 比例与制图规范画出上述各种螺纹连接结构图，图 1 为参考图。

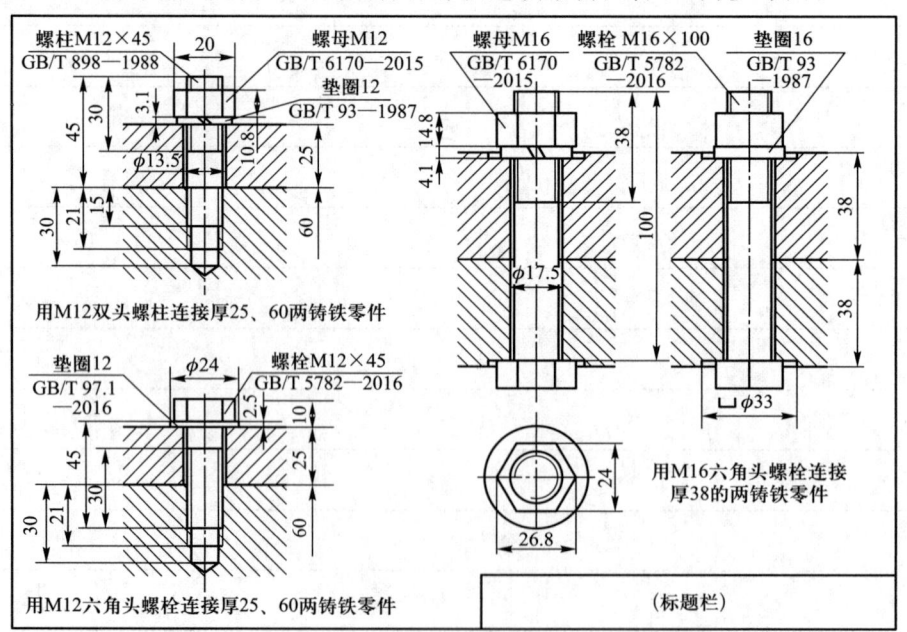

图 1　螺纹连接结构

作业二 带传动和齿轮传动设计

一、任务书
题目:V 带传动和齿轮传动的设计(图 2)
1. 原始数据

参数	1	2	3	4
减速器输出轴转矩 $T/(\text{N}\cdot\text{m})$	154	160	228	249
减速器输出轴转速 $n/(\text{r}/\min)$	155	150	104	96

注:载荷平稳,单向运转,工作年限 5 年,每年 250 个工作日,每日工作 16 h。

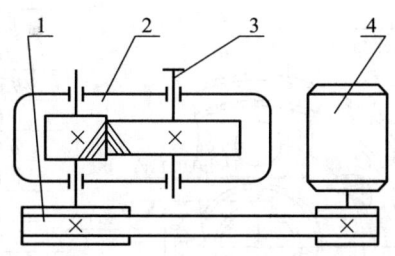

图 2 V 带传动和齿轮传动简图
1—V 带; 2—减速器; 3—输出轴; 4—电动机

2. 工作量
(1) 小带轮零件图一张或(和)大齿轮零件图一张;
(2) 设计计算说明书一份,内容包括电动机的选择、传动参数的计算、V 带传动的设计计算或(和)齿轮传动的设计计算。

二、设计计算步骤
1. 选择电动机,分配传动比,计算传动参数。
2. V 带传动设计计算或(和)齿轮传动设计计算。
3. 画小带轮零件图或(和)大齿轮零件图(本作业将大齿轮的孔径定为 $d=60$ mm)。图 3 是供参考的 V 带轮零件图,图 4 是供参考的齿轮零件图。

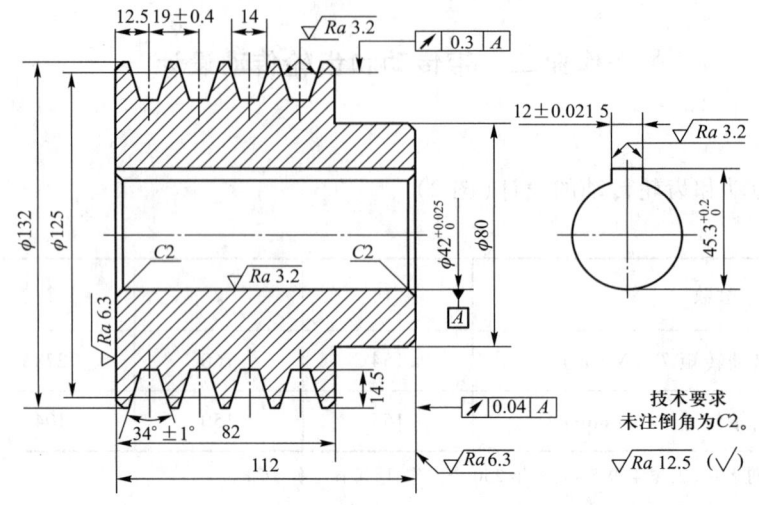

图 3 V 带轮零件图

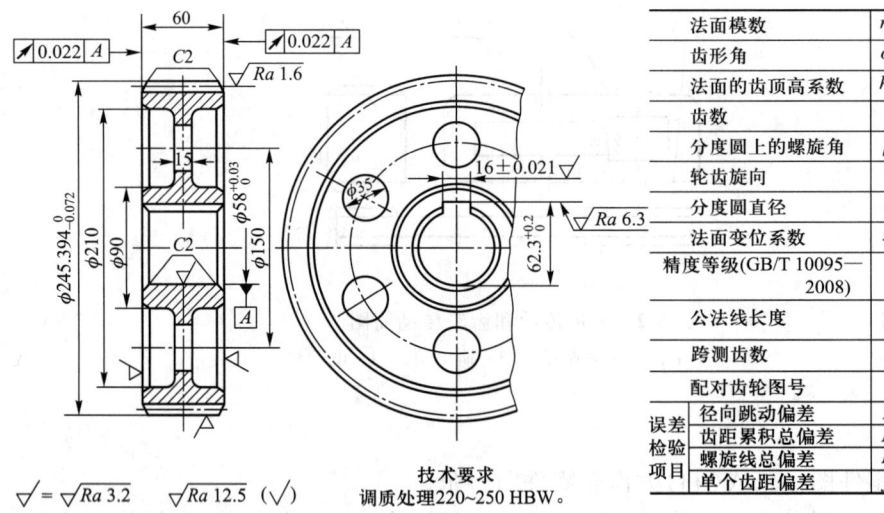

图 4 齿轮零件图

作业三 轴系组件设计

一、任务书
题目 1：斜齿圆柱齿轮传动输出轴的轴系组件设计（图 5）

1. 原始数据

参数	1	2	3	4
输出轴转速 n_2/(r/min)	137	145	153	165
输出轴功率 P/kW	2.5	2.7	3.0	3.2
齿轮齿数 z	101	107	113	120

续表

参数	1	2	3	4
齿轮模数 m_n/mm	3	3	3	3
齿轮齿宽 b/mm	80	80	80	80
齿轮螺旋角 β(右旋)/(°)	14.25	14.25	14.25	14.25
a/mm(图5)	80	80	80	80
c/mm(图5)	100	100	100	100

注:滚动轴承寿命为 10 000 h,工作温度小于 120 ℃,有轻微冲击。

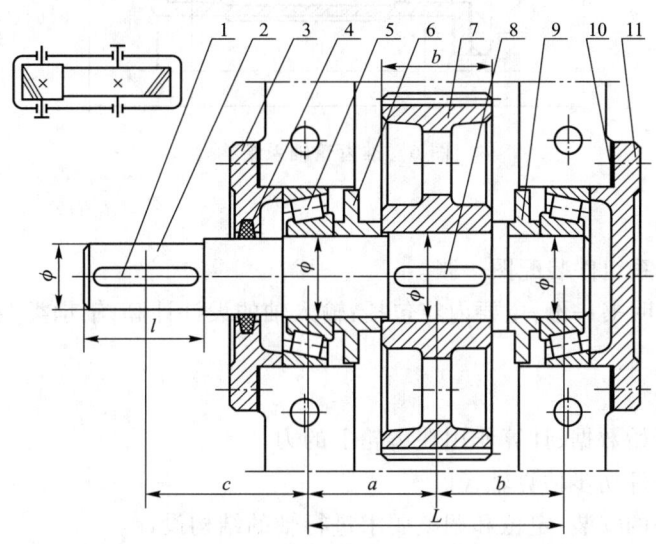

图 5 斜齿圆柱齿轮轴系结构

2．工作量

（1）输出轴的轴系组件装配图一张。

（2）设计计算说明书一份,主要内容包括:输出轴的设计计算,轴承类型选择和寿命计算,以及其他必要的计算。

题目 2:锥齿轮传动输入轴的轴系组件的设计(图 6)

1．原始数据

参数	1	2	3	4
输入轴转速 n_1/(r/min)	960	960	960	960
输入轴功率 P/kW	2.5	3.0	3.5	4.0
小锥齿轮齿数 z_1	23	25	27	28
齿轮模数 m/mm	3	3	3	3
小锥齿轮分度圆锥角 δ_1/(°)	18.43	18.43	18.43	18.43
a/mm(图6)	100	100	100	100
b/mm(图6)	50	50	50	50
c/mm(图6)	80	80	80	80

注:滚动轴承寿命为 10 000 h,工作温度小于 120 ℃,有轻微冲击。

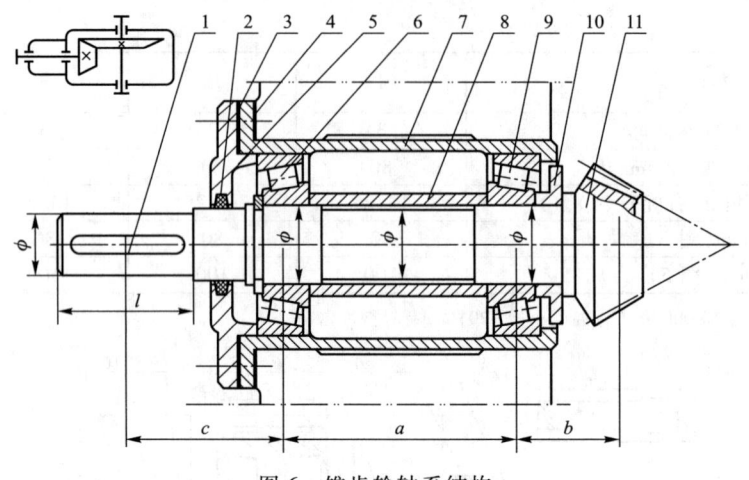

图 6 锥齿轮轴系结构

2. 工作量

（1）输入轴的轴系组件装配图一张。

（2）设计计算说明书一份，主要内容包括：输入轴的设计计算，轴承类型选择和寿命计算，以及其他必要的计算。

二、设计步骤

1. 根据设计的原始数据，计算作用在齿轮上的力。
2. 按扭转强度条件初步估算轴径。
3. 根据轴上零件的安装、定位和调整要求进行轴的结构设计。
4. 画轴的受力分析图，进行轴的强度校核。
5. 计算轴承所受的力，并验算轴承的寿命。
6. 完成轴系组件装配图，标注主要尺寸和配合尺寸，引出零件号，填写标题栏和零件明细表。

机械设计自测试题 I 参考答案

一、是非题与选择题

I-1 (×)；   I-2 (√)；   I-3 (×)；   I-4 (×)；   I-5 (√)；
I-6 (3)；   I-7 (1)；   I-8 (2)；   I-9 (1)；   I-10 (2)

二、填空题

I-11　320 MPa；400 MPa；240 MPa

I-12　扭转强度条件

I-13　弹簧丝直径 d；圈数 n

I-14　铸造青铜；碳钢或合金钢；提高配对材料的磨合和耐磨性能

I-15　带传动的计算功率；小带轮转速

Ⅰ-16　增大 ε_α,提高传动平稳性;降低齿高,改善抗胶合能力

Ⅰ-17　高碳铬轴承钢或渗碳轴承钢;低碳钢、铜合金、塑料等

Ⅰ-18　提高传动平稳性;减小轮齿受力和磨损

Ⅰ-19　滚子;球

Ⅰ-20　楔

三、问答题

Ⅰ-21　零件的应力集中、表面质量、尺寸效应以及强化方式与试件是不同的,因此两者的疲劳极限也不同,可由公式 $K_\sigma = \left(\dfrac{k_\sigma}{\varepsilon_\sigma} + \dfrac{1}{\beta_\sigma} - 1 \right) \dfrac{1}{\beta_q}$ 说明,各参数对疲劳极限的影响参见主教材。

Ⅰ-22　在受轴向变载荷条件下,降低螺栓上应力幅的大小,能够提高紧螺栓连接的疲劳强度。可以采用降低螺栓的刚度、提高被连接件的刚度等措施降低螺栓上应力幅的大小。此外,还可采用减少螺栓上的应力集中、改进螺栓的制造工艺、采用均载螺母等方法来提高螺栓连接的疲劳强度。

Ⅰ-23　应满足的条件是:(1) 相对滑动的两表面间必须形成收敛的楔形间隙;(2) 被油膜分开的两表面必须有足够的相对滑动速度;(3) 润滑油必须有一定的黏度,供油要充分。

四、分析题

Ⅰ-24　参考主教材图 5-26,画出图 5-26c,推导出公式(5-33)。

Ⅰ-25

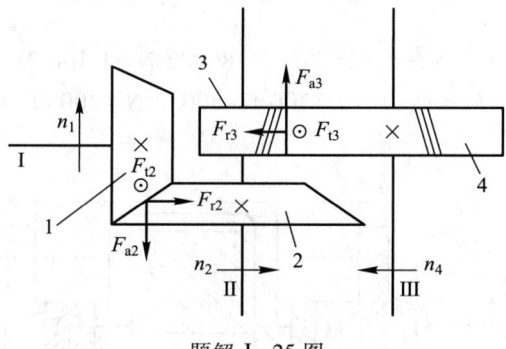

题解 Ⅰ-25 图

五、计算题

Ⅰ-26
$$F_{r1} = \dfrac{L_1 + L_2}{L_2} F_{re} = \dfrac{40 + 200}{200} \times 1\,640 \text{ N} = 1\,968 \text{ N}$$

$$F_{r2} = F_{re} - F_{r1} = 1\,640 \text{ N} - 1\,968 \text{ N} = -328 \text{ N}$$

$$F_{d1} = 0.68 F_{r1} = 0.68 \times 1\,968 \text{ N} = 1\,338 \text{ N}$$

$$F_{d2} = 0.68 F_{r2} = 0.68 \times 328 \text{ N} = 223 \text{ N}$$

因为　　　　　　　　　　$F_{ae} + F_{d2} = 820 \text{ N} + 223 \text{ N} = 1\,043 \text{ N} < F_{d1}$

所以　　　　　　　　　　$F_{a1} = F_{d1} = 1\,338 \text{ N}$

可得　　　　　　　　　　$F_{a2} = F_{d1} - F_{ae} = 1\,338 \text{ N} - 820 \text{ N} = 518 \text{ N}$

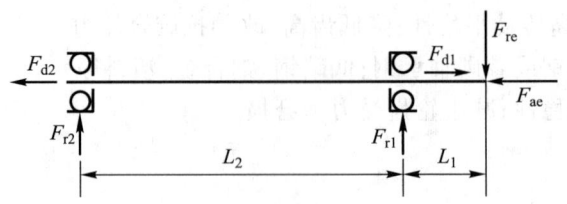

题解 Ⅰ-26 图

Ⅰ-27 $\sigma_{bs} = \dfrac{4\,000T}{hld} \leq [\sigma_{bs}]$

$$T \leq \dfrac{hld[\sigma_{bs}]}{4\,000} = \dfrac{h(L-b)d[\sigma_{bs}]}{4\,000} = \dfrac{8 \times (50-10) \times 35 \times 100}{4\,000}\ \text{N·m} = 280\ \text{N·m}$$

Ⅰ-28 材料的许用应力 $[\sigma] = \sigma_S/S = 320\ \text{MPa}/4 = 80\ \text{MPa}$,螺栓上的预紧力

$$F_0 \leq \dfrac{\pi d_1^2 [\sigma]}{1.3 \times 4} = \dfrac{\pi \times 10.106^2 \times 80}{1.3 \times 4}\ \text{N} = 4\,936\ \text{N}$$

将滑块移到最左端(或最右端),此时左端螺栓所受横向力最大,左端螺栓不滑移的条件为(对右端力矩平衡)

$$500zF_0 f \geq (300+100)FK_s$$

可得 $F \leq \dfrac{500zF_0 f}{400K_s} = \dfrac{500 \times 2 \times 4\,936 \times 0.2}{400 \times 1.2}\ \text{N} = 2\,057\ \text{N}$

Ⅰ-29 $F_e = \dfrac{1\,000P}{v} = \dfrac{1\,000 \times 10}{12.5}\ \text{N} = 800\ \text{N}$

$F_1 = F_0 + F_e/2 = 700\ \text{N} + 800/2\ \text{N} = 1\,100\ \text{N}$

$F_2 = F_0 - F_e/2 = 700\ \text{N} - 800/2\ \text{N} = 300\ \text{N}$

六、结构分析题

Ⅰ-30

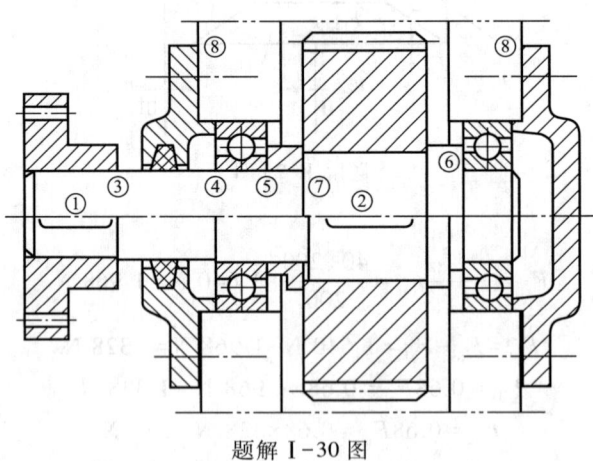

题解 Ⅰ-30 图

①和②处加键;③和④处加轴肩;⑤和⑥处套筒和轴肩尺寸应减小;⑦处应使齿轮能够被夹紧;⑧处应加调整片;轴左端是否加轴端挡圈,由半联轴器的结构而定;轴承是否应改为角接触球轴承,由齿轮轴向力大小而定。

机械设计自测试题 Ⅱ 参考答案

一、是非题与选择题
Ⅱ-1（√）； Ⅱ-2（×）； Ⅱ-3（√）； Ⅱ-4（×）； Ⅱ-5（×）；
Ⅱ-6（2）； Ⅱ-7（3）； Ⅱ-8（4）； Ⅱ-9（3）； Ⅱ-10（4）

二、填空题
Ⅱ-11　横向载荷；转矩；轴向载荷；倾覆力矩

Ⅱ-12　带的型号；小带轮直径；小带轮转速

Ⅱ-13　应力幅

Ⅱ-14　提高，加工

Ⅱ-15　大

Ⅱ-16　摩擦防松，机械防松；破坏螺旋副运动关系防松

Ⅱ-17　节省价高的有色金属

Ⅱ-18　1/8

Ⅱ-19　提高轴的旋转精度和稳定性

Ⅱ-20　小齿轮单齿啮合最低点（或大齿轮单齿啮合最高点），节点

三、问答题
Ⅱ-21　由于小带轮的直径和转速没有改变，因此带所能传递的功率没有大的变化，而传动比的改变使得小带轮的包角增大，因此带所能传递的功率有所增加。传动比的改变使得大带轮直径减小，因此大带轮的最大输出转矩下降约1/3。

Ⅱ-22　$z_1\uparrow \to \varepsilon \uparrow \to$ 传动的平稳性提高。

$z_1\uparrow \to m\downarrow \to$ 齿根弯曲强度降低。

$z_1\uparrow \to h\downarrow \to v_s\downarrow \to$ 抗胶合能力提高，磨损减小。

$z_1\uparrow \to a$ 不变 $\to$ 齿面接触强度不变。

Ⅱ-23　钢丝螺套用于有色金属零件的螺纹孔，起保护螺纹孔的作用，主要用于螺钉连接。钢丝螺套具有一定的弹性，可以起到均载作用，能显著提高螺纹连接件的疲劳强度。

四、分析题
Ⅱ-24　(1) 螺栓所受变应力为 $\sigma_{\min}$ 等于常数，故极限应力点为图中点 M'。

(2) 弹簧所受变应力为 σ_m 等于常数，故极限应力点为图中点 N'。

Ⅱ-25　(1) 齿轮1、2、3的接触应力的应力比为：$r_1=r_2=r_3=0$

齿轮1、2、3的弯曲应力的应力比为：$r_1=0, r_2=-1, r_3=0$

(2) 齿轮2的转速

$$n_2 = n_1 z_1/z_2 = 500\times 30/25 \text{ r/min} = 600 \text{ r/min}$$

齿轮2转一圈，每一齿面受到一次接触应力，齿根受到一次对称循环弯曲应力。齿轮2的弯曲应力和接触应力的循环次数为

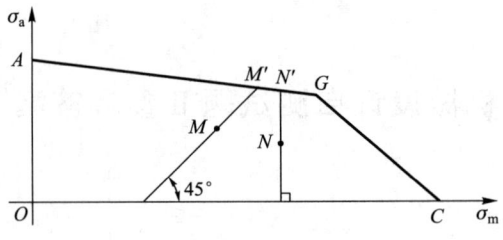

题解 Ⅱ-24 图

$$N_{F_2} = N_{H_2} = 60n_2 jL_h = 60 \times 600 \times 1 \times 2\,000 = 7.2 \times 10^7$$

Ⅱ-26

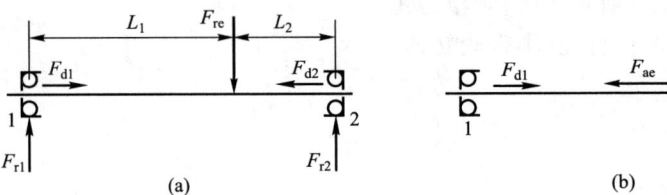

题解 Ⅱ-26 图

对于图 a

$$F_{r1} = \frac{L_2}{L_1+L_2} F_{re},\ F_{d1} = 0.4 F_{r1} = \frac{0.4 L_2}{L_1+L_2} F_{re}$$

$$F_{r2} = \frac{L_1}{L_1+L_2} F_{re},\ F_{d2} = 0.4 F_{r2} = \frac{0.4 L_1}{L_1+L_2} F_{re}$$

因为 $L_1 > L_2$，所以 $F_{r2} > F_{r1}$，$F_{d2} > F_{d1}$，$F_{ae} = 0$，可得：

$$F_{a1} = \max\{F_{d1}, F_{ae}+F_{d2}\} = F_{d2} = \frac{0.4 L_1}{L_1+L_2} F_{re}$$

$$F_{a2} = \max\{F_{d2}, F_{d1}-F_{ae}\} = F_{d2} = \frac{0.4 L_1}{L_1+L_2} F_{re}$$

对于图 b

$$F_{r1} = F_{r2} = 0,\ F_{d1} = F_{d2} = 0$$

$$F_{a1} = \max\{F_{d1}, F_{d2}+F_{ae}\} = F_{ae}$$

$$F_{a2} = \max\{F_{d2}, F_{d1}-F_{ae}\} = 0$$

五、计算题

Ⅱ-27

$$\sigma_{bs} = \frac{4\,000 T}{1.5 hld} \le [\sigma_{bs}]$$

$$T \le \frac{1.5 hld[\sigma_{bs}]}{4\,000} = \frac{1.5 h(L-b)d[\sigma_{bs}]}{4\,000} = \frac{1.5 \times 12 \times (80-20) \times 70 \times 80}{4\,000}\ \text{N·m} = 1\,512\ \text{N·m}$$

Ⅱ-28

$$v = \frac{\pi dn}{60 \times 1\,000} = \frac{\pi \times 100 \times 120}{60 \times 1\,000}\ \text{m/s} = 0.628\ \text{m/s} < [v]$$

因为 $$p = \frac{F}{Bd} \leq [p]$$

所以 $F \leq [p]Bd = 15 \times 90 \times 100 \text{ N} = 135\,000 \text{ N} = 135 \text{ kN}$

因为 $$pv = \frac{F}{Bd}v \leq [pv]$$

所以 $F \leq [pv]Bd/v = (15 \times 90 \times 100/0.628) \text{ N} = 215 \text{ kN}$

可得 $F_{max} \leq \min\{135 \text{ kN}, 215 \text{ kN}\} = 135 \text{ kN}$

Ⅱ-29

$$\sigma_{-1e} = \frac{\sigma_{-1}}{K_\sigma} = \frac{300}{2.5} \text{ MPa} = 120 \text{ MPa}$$

$$N = 60nL_h = 60 \times 150 \times 120 = 1\,080\,000 = 1.08 \times 10^6$$

$$\sigma = \sigma_{-1e}\sqrt[m]{\frac{N_0}{N}} = 120 \times \sqrt[9]{\frac{10^7}{1.08 \times 10^6}} \text{ MPa} = 153.7 \text{ MPa}$$

六、结构分析题

Ⅱ-30

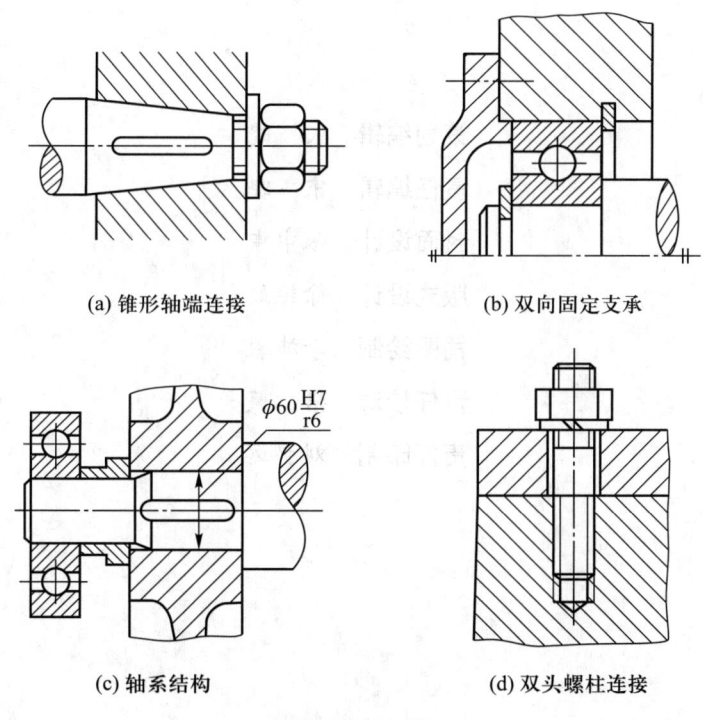

(a) 锥形轴端连接　　(b) 双向固定支承

(c) 轴系结构　　(d) 双头螺柱连接

题解 Ⅱ-30 图

图 a 中轴通过锥面与轮毂连接，轴环端面造成过定位，应删去轴环。图 b 中改用深沟球轴承，弹性挡圈加剖面线。图 c 中轴承拆卸困难，应修改套筒尺寸。对较紧的配合，应使键的左端进入导引锥段内，装配时键能对准轮毂的键槽；或者改为较松的配合，即将 H7/r6 改为 H7/k6。图 d 中双头螺柱中间段有错。

郑重声明

高等教育出版社依法对本书享有专有出版权。任何未经许可的复制、销售行为均违反《中华人民共和国著作权法》，其行为人将承担相应的民事责任和行政责任；构成犯罪的，将被依法追究刑事责任。为了维护市场秩序，保护读者的合法权益，避免读者误用盗版书造成不良后果，我社将配合行政执法部门和司法机关对违法犯罪的单位和个人进行严厉打击。社会各界人士如发现上述侵权行为，希望及时举报，我社将奖励举报有功人员。

反盗版举报电话　　（010）58581999　58582371
反盗版举报邮箱　　dd@hep.com.cn
通信地址　　北京市西城区德外大街4号　高等教育出版社法律事务部
邮政编码　　100120

策划编辑　　宋　晓
责任编辑　　宋　晓
封面设计　　张申申
版式设计　　徐艳妮
插图绘制　　李沛蓉
责任校对　　张　薇
责任印制　　刘弘远

第五版前言

本作业集是普通高等教育"十二五"国家级规划教材——濮良贵等主编《机械设计》(第十版)(以下简称主教材)的配套教材,是在第四版的基础上修订而成的。本作业集的编写目的是为了引导学生学习,方便学生做作业,利于教师批改,并使作业规范化。

本作业集的主要特点是:

1. 分装成1、2两册交替使用,1册中编入第一、三、五……章的作业,2册中编入第二、四、六……章的作业,学生直接将作业做在作业集上,不必另备作业本。

2. 题目类型多,有选择、填空、分析、思考、计算和结构设计题等;作业量适当,通过作业环节使学生全面掌握所学内容。

3. 为了加强学生设计能力的培养,除各章的结构设计与分析题外,还编入了三个单元的设计作业题,与各单元的教学内容相对应。

4. 编入两套机械设计自测试题,供学生学完本课程后进行自我检测,以便明确自己对所学内容的掌握程度,并由此概括了解本课程的考试方法。两套机械设计自测试题均给出了参考答案,以便于学生自我检查。

5. 由于本作业集的选材符合"高等学校机械设计课程教学基本要求",因而亦可供使用其他同类教材的学生及广大自学者使用。

主教材中编有少量习题,选择其中一部分习题编入本作业集,以方便学生在作业集内完成。

本次修订,根据主教材的内容对作业集里的部分习题和部分参数的符号做了修改,使之与主教材内容一致。参加本作业集修订工作的有李育锡、李建华、吴立言、袁茹、李洲洋,并由李育锡和李洲洋担任主编。

由于编者水平所限,疏漏之处在所难免,敬请广大使用者批评指正。

编 者
2019 年 12 月

目 录

第二章 机械设计总论 ·················· 2
    分析与思考题 ·················· 2

第四章 摩擦、磨损及润滑概述 ·········· 2
    分析与思考题 ·················· 2

第六章 键、花键、无键连接和销连接 ···· 4
    一、选择与填空题 ················ 4
    二、分析与思考题 ················ 4
    三、设计计算题 ·················· 4
    四、结构设计与分析题 ············ 6

第八章 带传动 ······················ 8
    一、选择与填空题 ················ 8
    二、分析与思考题 ················ 10
    三、设计计算题 ·················· 12
    四、结构设计与分析题 ············ 12

第十章 齿轮传动 ···················· 14
    一、选择与填空题 ················ 14
    二、分析与思考题 ················ 16
    三、设计计算题 ·················· 20
    四、结构设计与分析题 ············ 20

第十二章 滑动轴承 ·················· 22
    一、选择与填空题 ················ 22
    二、分析与思考题 ················ 22
    三、设计计算题 ·················· 24

第十四章 联轴器和离合器 ············ 26
    一、选择与填空题 ················ 26
    二、分析与思考题 ················ 26
    三、设计计算题 ·················· 28

第十六章 弹簧 ······················ 28
    一、选择与填空题 ················ 28
    二、分析与思考题 ················ 28
    三、设计计算题 ·················· 30

第十八章 减速器和变速器 ············ 30
    分析与思考题 ·················· 30

机械设计自测试题 Ⅰ ················ 34

机械设计自测试题 Ⅱ ················ 40

参考文献 ·························· 46

第二章 机械设计总论

分析与思考题

2-1 一台完整的机器通常由哪些基本部分组成？各部分的作用是什么？
2-2 设计机器时应满足哪些基本要求？设计机械零件时应满足哪些基本要求？
2-3 机械零件主要有哪些失效形式？常用的计算准则主要有哪些？
2-4 什么是零件的强度要求？强度条件是如何表示的？如何提高零件的强度？
2-5 什么是零件的刚度要求？刚度条件是如何表示的？提高零件刚度的措施有哪些？
2-6 零件在什么情况下会发生共振？如何改变零件的固有频率？
2-7 什么是可靠性设计？它与常规设计有何不同？零件可靠度的定义是什么？
2-8 机械零件设计中选择材料的原则是什么？
2-9 指出下列材料的种类，并说明代号中符号及数字的含义：HT150，ZG230-450，65Mn，45，Q235，40Cr，20CrMnTi，ZCuSn10Pb5。
2-10 机械的现代设计方法与传统设计方法有哪些主要区别？

第四章 摩擦、磨损及润滑概述

分析与思考题

4-1 按照摩擦面间的润滑状态不同，滑动摩擦可分为哪几种？
4-2 膜厚比的物理意义是什么？边界摩擦、混合摩擦和液体摩擦所对应的膜厚比范围各是多少？
4-3 在工程中，常用金属材料副的摩擦系数是如何得来的？
4-4 什么是边界膜？边界膜的形成机理是什么？如何提高边界膜的强度？
4-5 零件的磨损过程大致可分为哪几个阶段？每个阶段的特征是什么？
4-6 根据磨损机理的不同，磨损通常分为哪几种类型？它们各有什么主要特点？
4-7 润滑油的黏度是如何定义的？什么是润滑油的黏性定律？什么样的液体称为牛顿液体？
4-8 黏度的表示方法通常有哪几种？各种黏度的单位和换算关系是什么？
4-9 润滑油的主要性能指标有哪些？润滑脂的主要性能指标有哪些？
4-10 在润滑油和润滑脂中加入添加剂的作用是什么？
4-11 流体动力润滑和流体静力润滑的油膜形成原理有何不同？流体静力润滑的主要优点是什么？
4-12 流体动力润滑和弹性流体动力润滑两者间有什么本质区别？所研究的对象有何不同？

第六章 键、花键、无键连接和销连接

一、选择与填空题

6-1 设计普通平键连接时,键的截面尺寸 $b \times h$ 根据_____按键的标准选择。
(1)所传递转矩的大小 (2)所传递功率的大小 (3)轮毂的长度 (4)轴的直径

6-2 普通平键连接的主要失效形式是_____,导向平键连接的主要失效形式是_____。

6-3 与平键连接相比,楔键连接的主要缺点是_____。
(1)键的斜面加工困难 (2)键安装时易损坏 (3)键楔紧后在轮毂中产生初应力
(4)轴和轴上零件对中性差

6-4 矩形花键连接采用_____定心,渐开线花键连接采用_____定心。

6-5 型面曲线为摆线或等距曲线的型面连接与平键连接相比较,_____不是型面连接的优点。
(1)对中性好 (2)轮毂孔的应力集中小 (3)装拆方便 (4)切削加工方便

二、分析与思考题

6-6 薄型平键连接与普通平键连接相比,在使用场合、结构尺寸和承载能力上有何区别?

6-7 半圆键连接与普通平键连接相比,有什么优缺点?它适用于什么场合?

6-8 采用双键连接时,不同类型的键在轴上的位置和布置各不相同,试说明其原因:采用两个平键(双键连接)时,通常在轴的圆周上相隔180°位置布置;采用两个楔键时,常相隔90°~120°;而采用两个半圆键时,则布置在轴的同一母线上。

6-9 与平键、楔键、半圆键相配的轴和轮毂上的键槽是如何加工的?

6-10 在材料和载荷性质相同的情况下,动连接的许用压力比静连接的许用挤压应力小,试说明其原因。

6-11 花键连接的主要失效形式是什么?如何进行强度计算?

6-12 在胀紧连接中,胀套串联使用时引入额定载荷系数 m 是为了考虑什么因素的影响?

6-13 销有哪几种类型?各用于何种场合?销连接有哪些失效形式?

6-14 一般连接用销、定位用销及安全保护用销在设计计算上有何不同?

三、设计计算题

6-15 图示牙嵌离合器的左、右两半分别用键与轴1、2相连接,在空载下,通过操纵可使右半离合器沿导向平键在轴1上作轴向移动。该轴传递的转矩 $T = 1\ 200\ \text{N} \cdot \text{m}$,轴径 $d_1 = 80\ \text{mm}$,右半离合器的轮毂长度 $L_1 = 130\ \text{mm}$,行程 $l_1 = 60\ \text{mm}$,工作中有轻微冲击,离合器及轴的材料均为钢材。试选择右半离合器的导向平键尺寸,并校核其连接强度。

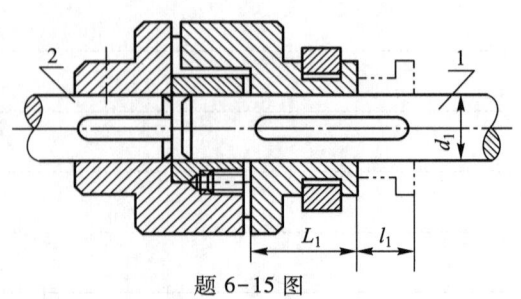

题 6-15 图

解：1. 选择导向平键

选 A 型导向平键,查手册得平键的截面尺寸 $b=22$ mm, $h=14$ mm,取键长 $L=180$ mm$<L_1+l_1$。

2. 强度校核

材料均为钢,工作时有轻微冲击,查主教材表 6-2,取 $[\sigma_{bs}]=110$ MPa。$l=L-b=(180-22)$ mm$=158$ mm。

$$\sigma_{bs}=\frac{4\,000T}{hld}=\frac{4\,000\times1\,200}{14\times158\times80}\text{MPa}=27.1\text{ MPa}<[\sigma_{bs}]$$

故此键连接能满足强度要求。

注：解中有两处错误,请指出错处并说明错误原因。

6-16 图示减速器的低速轴与凸缘联轴器及圆柱齿轮之间分别采用键连接。已知轴传递的转矩 $T=1\,000$ N·m,齿轮的材料为锻钢,凸缘联轴器材料为 HT200,工作时有轻微冲击,连接处轴及轮毂尺寸如图所示。试选择键的类型和尺寸,并校核连接的强度。

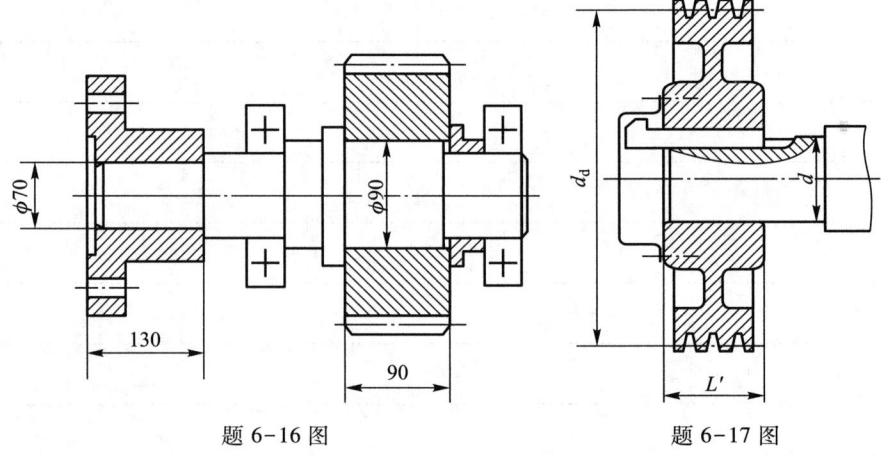

题 6-16 图   题 6-17 图

6-17 图示的灰铸铁 V 带轮,安装在直径 $d=45$ mm 的轴端,带轮基准直径 $d_d=250$ mm,工作时的有效拉力 $F_e=1\,500$ N,有轻微振动,轮毂宽度 $L'=65$ mm。设采用钩头楔键连接,试选择该楔键的尺寸,并校核连接的强度。

6-18 轴与轮毂分别采用 B 型普通平键连接和中系列矩形花键连接。已知轴的直径(花键的大径)$d=102$ mm,轮毂宽度 $L=150$ mm,轴和轮毂的材料均为碳钢,取许用挤压应力 $[\sigma_{bs}]=100$ MPa,试计算两种连接分别允许传递的转矩。

6-19 轴与轮毂采用两个 ZJ2 型胀套串联连接,轴的直径 $d=100$ mm,轴和轮毂的材料均为碳钢。该轴毂连接同时承受轴向力 $F_a=100$ kN,转矩 $T=12$ kN·m,载荷平稳。试验算此连接是否可靠。

四、结构设计与分析题

6-20 试指出下列图中的错误结构,并画出正确的结构图。

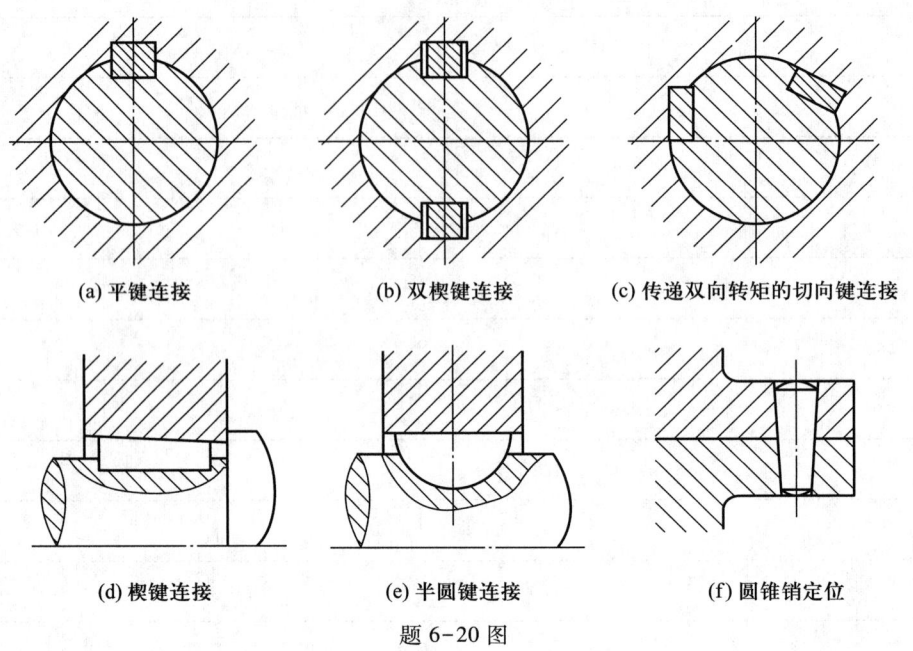

(a) 平键连接　　　(b) 双楔键连接　　　(c) 传递双向转矩的切向键连接

(d) 楔键连接　　　(e) 半圆键连接　　　(f) 圆锥销定位

题 6-20 图

6-21 已知图示的轴伸长度为 72 mm，直径 $d=40$ mm，配合公差为 H7/k6，采用 A 型普通平键连接。试填写图中各结构尺寸、尺寸公差、表面粗糙度和几何公差（一般键连接）。

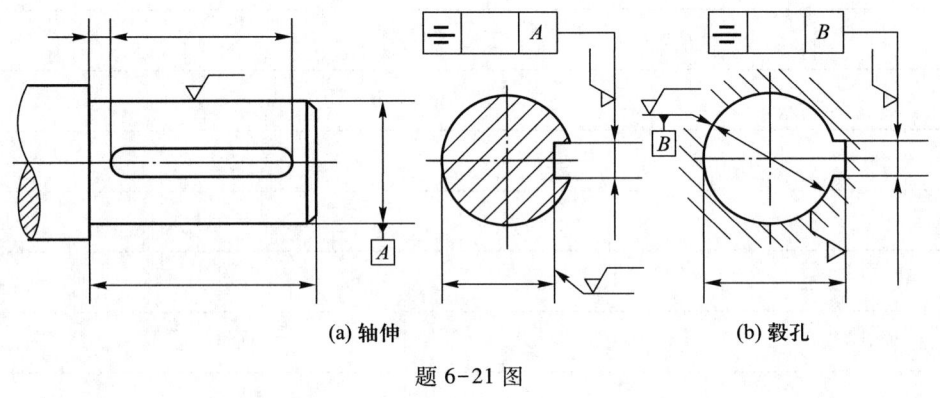

(a) 轴伸　　　(b) 毂孔

题 6-21 图

第八章　带　传　动

一、选择与填空题

8-1 带传动正常工作时，紧边拉力 F_1 和松边拉力 F_2 满足关系_____。

（1）$F_1 = F_2$　　　（2）$F_1 - F_2 = F_e$　　　（3）$F_1/F_2 = e^{f\alpha}$　　　（4）$F_1 + F_2 = F_0$

8-2　V 带传动的中心距与小带轮的直径一定时,若增大传动比,则带在小带轮上的包角将_____,带在大带轮上的弯曲应力将_____。

（1）增大　　　（2）不变　　　（3）减小

8-3　V 带传动在工作过程中,带内应力有_____、_____、_____,最大应力 $\sigma_{max} =$ _____,发生在_____处。

8-4　带传动中,主动轮圆周速度 v_1、从动轮圆周速度 v_2、带速 v 之间存在的关系是_____。

（1）$v_1 = v_2 = v$　　　（2）$v_1 > v > v_2$　　　（3）$v_1 < v < v_2$　　　（4）$v > v_1 > v_2$

8-5　在平带或 V 带传动中,影响临界有效拉力 F_{ec} 的因素是_____、_____和_____。

二、分析与思考题

8-6　摩擦型带传动常用的类型有哪几种?各应用在什么场合?

8-7　在单根普通 V 带的基本额定功率表中,单根带的额定功率 P_0 值随小带轮转速增大而有何变化特点?试说明其原因。

8-8　同步带传动的工作原理是什么?它有什么独特的优点?

8-9　V 带轮的基准直径以及 V 带的基准长度是如何定义的?

8-10　某带传动由变速电动机驱动,大带轮的输出转速的变化范围为 500~1 000 r/min。若大带轮上的负载为恒功率负载,应该按哪一种转速设计带传动?若大带轮上的负载为恒转矩负载,应该按哪一种转速设计带传动?为什么?

8-11　V 带传动的传动比不等于 1 时要引入额定功率的增量 ΔP_0,传动比 $i>1$ 为什么会使带传递的功率有所增加?

8-12　带与带轮间的摩擦系数对带传动有什么影响?为了增加传动能力,将带轮工作面加工得粗糙些以增大摩擦系数,这样做是否合理?为什么?

8-13　带传动中的弹性滑动是如何发生的?打滑又是如何发生的?两者有何区别?对带传动各产生什么影响?打滑首先发生在哪个带轮上?为什么?

8-14　在设计带传动时,为什么要限制小带轮最小基准直径和带的最小、最大速度?

8-15　试分析带传动的中心距 a、初拉力 F_0 以及带的根数 z 的大小对带传动工作能力的影响。

8-16　一带式输送机装置如图所示。已知小带轮基准直径 $d_{d1} = 140$ mm,大带轮基准直径 $d_{d2} = 400$ mm,鼓轮直径 $D = 250$ mm。现在为了提高生产率,拟在运输机载荷不变(即拉力 F 不变)的条件下,将输送带的速度 v 提高。设电动机的功率和减速器的强度足够,且更换大小带轮后引起中心距的变化对传递功率的影响可忽略不计,为了实现这一增速要求,试分析采用下列哪种方案更为合理,为什么?

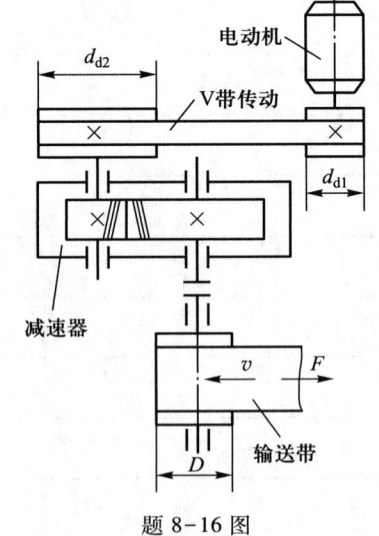

题 8-16 图

（1）将大带轮基准直径 d_{d2} 减小到 280 mm；

（2）将小带轮基准直径 d_{d1} 增大到 200 mm；

（3）将鼓轮直径 D 增大到 350 mm。

8-17 在多根 V 带传动中，当一根带疲劳断裂时，应如何更换？为什么？

8-18 为何 V 带传动的中心距一般设计成可调节的？在什么情况下需采用张紧轮？张紧轮布置在什么位置较为合理？

8-19 一般带轮采用什么材料？带轮的结构形式有哪些？根据什么来选定带轮的结构形式？

三、设计计算题

8-20 已知一普通 V 带传动，主动轮转速 $n_1 = 1460$ r/min，两带轮基准直径 $d_{d1} = 140$ mm，$d_{d2} = 400$ mm，中心距 $a = 815$ mm，采用四根 A 型普通 V 带，一天运转 8 h，工作载荷变动较大，试求带传动所允许传递的功率。

8-21 某车床电动机和主轴箱之间为普通 V 带传动，电动机转速 $n_1 = 1440$ r/min，主轴箱负载为 3.6 kW，带轮基准直径 $d_{d1} = 90$ mm，$d_{d2} = 250$ mm，传动中心距 a 约为 530 mm，初拉力按规定条件确定，每天工作 16 h，试确定该传动所需普通 V 带的型号与根数。

8-22 一普通 V 带传动传递的功率 $P = 7.5$ kW，带速 $v = 10$ m/s，测得紧边拉力是松边拉力的 2 倍，即 $F_1 = 2F_2$，试求紧边拉力 F_1、有效拉力 F_e 和初拉力 F_0。

8-23 现设计一带式输送机的传动部分，该传动部分由普通 V 带传动和齿轮传动组成。齿轮传动采用标准齿轮减速器。原动机为电动机，额定功率 $P = 11$ kW，转速 $n_1 = 1460$ r/min，减速器输入轴转速为 400 r/min，允许传动比误差为 ±5%，该输送机每天工作 16 h，试设计此普通 V 带传动，并选定带轮结构形式与材料。

四、结构设计与分析题

8-24 图中所示为带传动的张紧方案，试指出其不合理之处，并改正。

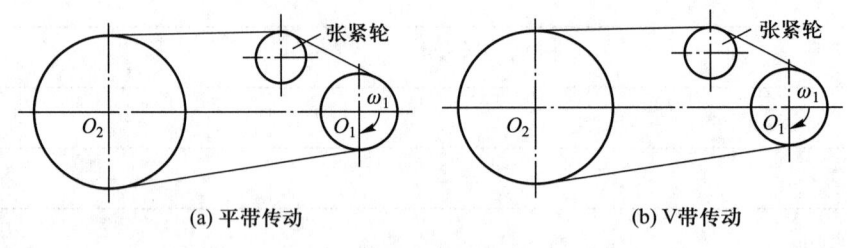

题 8-24 图

8-25 图中所示为 B 型普通 V 带的轮槽结构，试填写有关结构尺寸、尺寸公差及表面粗糙度值。

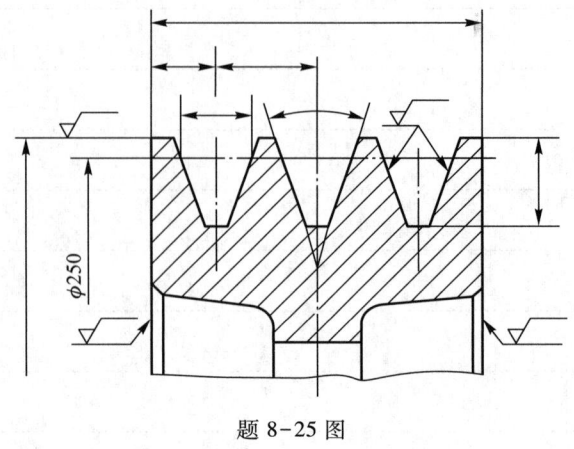

题 8-25 图

第十章 齿轮传动

一、选择与填空题

10-1 在齿轮传动的设计计算中,对于下列参数和尺寸,应标准化的有_____;应圆整的有_____;没有标准化也不应圆整的有_____。
（1）斜齿轮的法面模数 m_n　（2）斜齿轮的端面模数 m_t　（3）直齿轮中心距 a
（4）斜齿轮中心距 a　（5）齿宽 B　（6）齿厚 s　（7）分度圆压力角 α
（8）螺旋角 β　（9）锥距 R　（10）齿顶圆直径 d_a

10-2 制造材料为 20Cr 的硬齿面齿轮,适宜的热处理方法是_____。
（1）整体淬火　（2）渗碳淬火　（3）调质　（4）表面淬火

10-3 将材料为 45 钢的齿轮毛坯加工成为 6 级精度的硬齿面直齿圆柱外齿轮,该齿轮制造工艺顺序应是_____为宜。
（1）滚齿、表面淬火、磨齿　（2）滚齿、磨齿、表面淬火　（3）表面淬火、滚齿、磨齿
（4）滚齿、调质、磨齿

10-4 在齿轮传动中,仅将齿轮分度圆的压力角 α 增大,则齿面接触应力将_____。
（1）增大　　　　　（2）不变　　　　　（3）减小

10-5 在齿轮传动中,将轮齿进行齿顶修缘的目的是_____,将轮齿加工成鼓形齿的目的是_____。

10-6 影响齿轮传动动载系数 K_v 大小的两个主要因素是_____。

10-7 一对正确啮合的标准渐开线齿轮作减速传动时,如两轮的材料、热处理及齿面硬度均相同,则齿根弯曲应力_____。
（1）$\sigma_{F1} > \sigma_{F2}$　　　　（2）$\sigma_{F1} = \sigma_{F2}$　　　　（3）$\sigma_{F1} < \sigma_{F2}$

10-8 一对钢制齿轮与一对铸铁齿轮的尺寸参数完全相同,在相同载荷作用下,钢制齿轮具有较大的齿面接触应力,这是由于钢材具有_____。
(1) 较高的许用接触应力　(2) 较大的弹性模量　(3) 较大的塑性

10-9 齿轮的弯曲疲劳强度极限 σ_{Flim} 和接触疲劳强度极限 σ_{Hlim} 是经持久疲劳试验并按失效概率为_____来确定的,实验齿轮的弯曲应力循环特性为_____循环。

10-10 直齿锥齿轮传动的强度计算方法是以_____的当量圆柱齿轮为计算基础的。

二、分析与思考题

10-11 在不改变齿轮的材料和尺寸的情况下,如何提高轮齿的抗折断能力?

10-12 为什么齿面点蚀一般首先发生在靠近节线的齿根面上?在开式齿轮传动中,为什么一般不出现点蚀破坏?如何提高齿面抗点蚀的能力?

10-13 在什么工况下工作的齿轮易出现胶合破坏?胶合破坏通常出现在轮齿的什么部位?如何提高齿面抗胶合的能力?

10-14 闭式齿轮传动与开式齿轮传动的失效形式和设计准则有什么不同?为什么?

10-15 通常所谓软齿面与硬齿面的硬度界限是如何划分的?软齿面齿轮和硬齿面齿轮在加工方法上有什么区别?为什么?

10-16 导致载荷沿轮齿接触线分布不均的原因有哪些?如何减轻载荷分布不均的程度?

10-17 在进行齿轮强度计算时,为什么要引入载荷系数 K?载荷系数 K 是由哪几部分组成?各考虑了什么因素的影响?

10-18 齿面接触疲劳强度计算公式是如何建立的?为什么要选择节点作为齿面接触应力的计算点?

10-19 标准直齿圆柱齿轮传动,若传动比 i、转矩 T_1、齿宽 b 均保持不变,试问在下列条件下齿轮的弯曲应力与接触应力各将发生什么变化?
(1) 模数 m 不变,齿数 z_1 增加;
(2) 齿数 z_1 不变,模数 m 增大;
(3) 齿数 z_1 增加一倍,模数 m 减小一半。

10-20 一对圆柱齿轮传动,大齿轮和小齿轮的接触应力是否相等?如大、小齿轮的材料及热处理情况相同,则其许用接触应力是否相等?

10-21 当配对齿轮(软对软,硬对软)齿面有一定量的硬度差时,对较软齿面会产生什么影响?

10-22 在齿轮设计公式中为什么要引入齿宽系数 ϕ_d?齿宽系数 ϕ_d 的大小主要与哪两方面因素有关?

10-23 在直齿、斜齿圆柱齿轮传动中,为什么常将小齿轮设计得比大齿轮宽一些?在人字齿轮传动和锥齿轮传动中是否也应将小齿轮设计得宽一些?

10-24 在下列各齿轮受力图中标注各力的符号(齿轮 1 主动)。

10-25 两级展开式齿轮减速器如图所示。已知主动轮 1 为左旋,转向 n_1 如图所示,为使中间轴上两齿轮所受的轴向力相互抵消一部分,试在图中标出各齿轮的螺旋线方向,并在各齿轮分离体的啮合点处标出齿轮的轴向力 F_a、径向力 F_r 和圆周力 F_t 的方向(圆周力的方向分别用符号

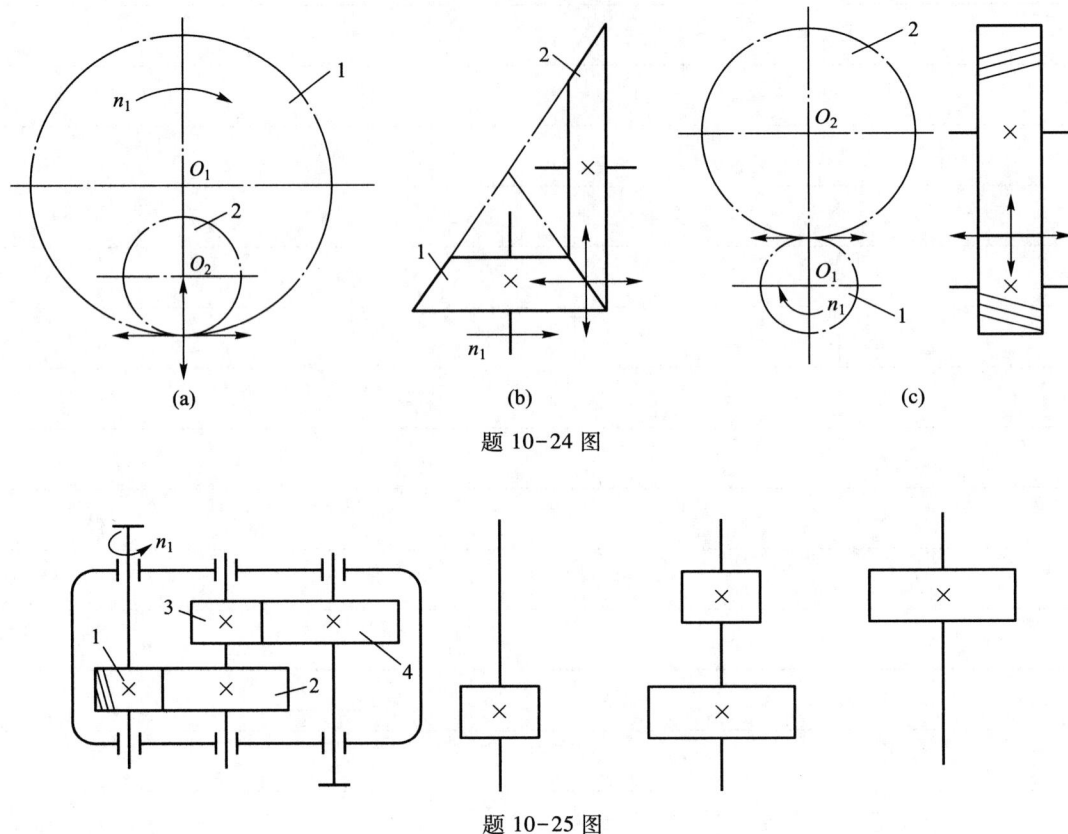

题 10-24 图

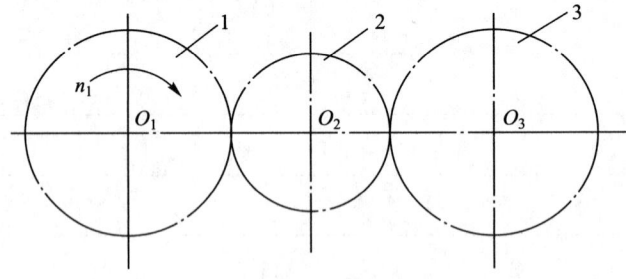

题 10-25 图

⊗或⊙表示向内或向外)。

10-26 图示定轴轮系中,已知齿数 $z_1 = z_3 = 25$、$z_2 = 20$,齿轮 1 转速 $n_1 = 450$ r/min,工作寿命 $L_h = 2\,000$ h。若齿轮 1 为主动且转向不变,试问:

(1) 齿轮 2 在工作过程中轮齿的接触应力和弯曲应力的应力比 r 各为多少?

(2) 齿轮 2 的接触应力和弯曲应力的循环次数 N_2 各为多少?

题 10-26 图

10-27　直齿轮传动与斜齿轮传动在确定许用接触应力$[\sigma_H]$时有何区别？

10-28　对齿轮进行正、负变位修正，轮齿的抗弯能力有何变化？

10-29　齿轮传动的常用润滑方式有哪些？润滑方式的选择与齿轮圆周速度大小有何关系？润滑油黏度的选择与齿轮圆周速度大小有何关系？

10-30　圆弧齿圆柱齿轮传动与渐开线齿轮传动相比有哪些优点？为什么圆弧齿圆柱齿轮不能是直齿的？

三、设计计算题

10-31　一对斜齿圆柱齿轮传动由电动机直接驱动，齿轮材料为45钢，软齿面，齿轮精度等级为8-7-7FL。已知法面模数$m_n = 3$ mm，齿数$z_1 = 30$、$z_2 = 93$，螺旋角$\beta = 13.82°$，齿宽$B_1 = 85$ mm、$B_2 = 80$ mm，转速$n_1 = 1\,440$ r/min，该齿轮对称布置在两支承之间，载荷平稳。试确定该齿轮传动的载荷系数K。

10-32　在上题的齿轮传动中，小齿轮调质处理，齿面硬度为220~240 HBW，大齿轮常化处理，齿面硬度为190~210 HBW，要求齿轮的工作寿命为5年（允许出现少量点蚀），每年工作250天，每天工作8 h，齿轮单向转动。试确定该齿轮传动的许用接触应力和许用弯曲应力。

10-33　设计一直齿圆柱齿轮传动，原用材料的许用接触应力为$[\sigma_H]_1 = 700$ MPa、$[\sigma_H]_2 = 600$ MPa，求得中心距$a = 100$ mm；现改用$[\sigma_H]_1 = 600$ MPa、$[\sigma_H]_2 = 400$ MPa的材料。若齿宽和其他条件不变，为保证接触疲劳强度不变，试计算改用材料后的中心距。

10-34　一直齿圆柱齿轮传动，已知$z_1 = 20$，$z_2 = 60$，$m = 4$ mm，$B_1 = 45$ mm，$B_2 = 40$ mm，齿轮材料为锻钢，许用接触应力$[\sigma_H]_1 = 500$ MPa、$[\sigma_H]_2 = 430$ MPa，许用弯曲应力$[\sigma_F]_1 = 340$ MPa、$[\sigma_F]_2 = 280$ MPa，弯曲载荷系数$K = 1.85$，接触载荷系数$K = 1.40$，求大齿轮所允许的输出转矩T_2（不计功率损失）。

10-35　设计铣床中一对直齿圆柱齿轮传动。已知功率$P_1 = 7.5$ kW，小齿轮主动，转速$n_1 = 1\,450$ r/min，齿数$z_1 = 26$、$z_2 = 54$，双向传动，工作寿命$L_h = 12\,000$ h。小齿轮对轴承非对称布置，轴的刚性较大，工作中受轻微冲击，7级制造精度。

10-36　设计一斜齿圆柱齿轮传动。已知功率$P_1 = 40$ kW，转速$n_1 = 2\,800$ r/min，传动比$i = 3.2$，工作寿命$L_h = 1\,000$ h，小齿轮作悬臂布置，工作情况系数$K_A = 1.2$。

10-37　设计由电动机驱动的闭式锥齿轮传动。已知功率$P_1 = 9.2$ kW，转速$n_1 = 970$ r/min，传动比$i = 3$，小齿轮悬臂布置，单向转动，载荷平稳，每日工作8 h，工作寿命为5年（每年250个工作日）。

四、结构设计与分析题

10-38　一标准斜齿圆柱齿轮的局部结构如图所示。已知齿轮的法面模数$m_n = 5$ mm，齿数$z = 52$，螺旋角$\beta = 13°10'25''$，精度等级为8-7-7 GB/T 10095—2008。试填写图中各结构尺寸、尺寸公差、表面粗糙度和几何公差，并填写表中数值。

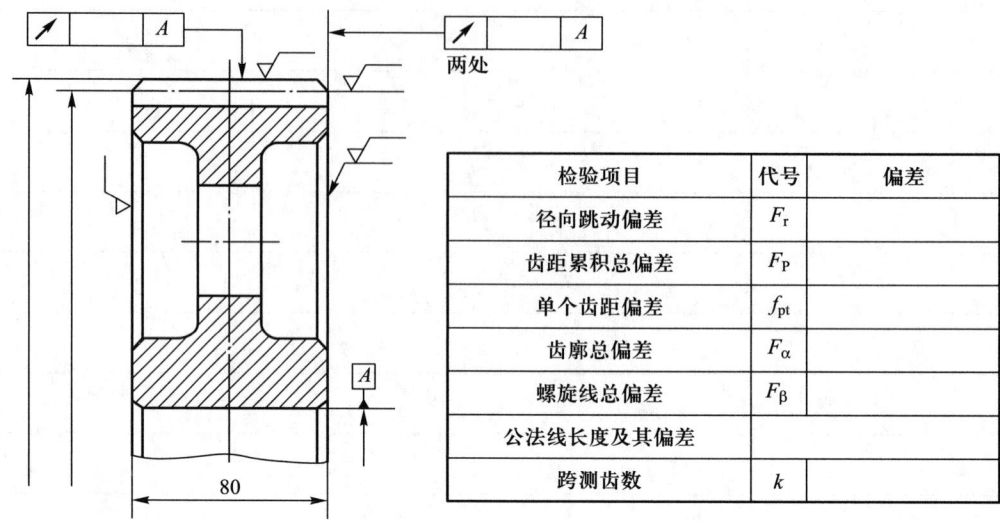

题 10-38 图

第十二章 滑动轴承

一、选择与填空题

12-1 宽径比 B/d 是设计滑动轴承时首先要确定的重要参数之一,通常取 $B/d=$ _____。
(1) 1~10 　　　　(2) 0.1~1 　　　　(3) 0.3~1.5 　　　　(4) 3~5

12-2 巴氏合金通常用于做滑动轴承的_____。
(1) 轴套 　　　　(2) 轴承衬 　　　　(3) 含油轴瓦 　　　　(4) 轴承座

12-3 在不完全流体润滑滑动轴承设计中,限制 p 值的主要目的是_____;限制 pv 值的主要目的是_____。

12-4 向心滑动轴承的偏心距 e 随着载荷增大而_____;随着转速增高而_____。

12-5 _____不是静压滑动轴承的特点。
(1) 启动力矩小 　　(2) 对轴承材料要求高 　(3) 供油系统复杂 　　(4) 高、低速运转性能均好

二、分析与思考题

12-6 试分别从摩擦状态、油膜形成的原理以及润滑介质几方面对滑动轴承进行分类。

12-7 为什么滑动轴承要分成轴承座和轴瓦,有时又在轴瓦上敷上一层轴承衬?

12-8 在滑动轴承上开设油孔和油槽时应注意哪些问题?

12-9 一般轴承的宽径比在什么范围内?为什么宽径比不宜过大或过小?

12-10 提高流体动力润滑径向滑动轴承的运动稳定性和油膜刚度是设计时应考虑的重要问题,其具体措施有哪些?

12-11 采用扇形块可倾轴瓦时,可倾轴瓦的支承点与轴的旋转方向有何关系?轴是否允许正反转?

12-12 滑动轴承常见的失效形式有哪些?

12-13 对滑动轴承材料的性能有哪几方面的要求?

12-14 对滑动轴承材料的基本要求之一是耐磨,而表面淬硬的钢材是很耐磨的。问是否可用表面淬硬的钢制轴颈和钢制轴瓦配对,以达到耐磨的要求?

12-15 在设计滑动轴承时,相对间隙 ψ 的选取与速度和载荷的大小有何关系?

12-16 某齿轮泵用径向滑动轴承,轴颈表面圆周速度 $v=2.5$ m/s,工作压力 $p=3\sim4$ MPa,设计中拟采用整体式轴瓦(不加轴承衬),试选择一种合适的轴承材料。

12-17 验算滑动轴承的压力 p、速度 v 和压力与速度的乘积 pv,是不完全流体润滑轴承设计中的内容,对流体动力润滑轴承是否需要进行此项验算?为什么?

12-18 试分析流体动力润滑轴承和不完全流体润滑轴承的区别,并讨论它们各自适用的场合。

12-19 试说明流体动压油膜形成的必要条件。

12-20 对已设计好的流体动力润滑径向滑动轴承,试分析在仅改动下列参数之一时,将如何影响该轴承的承载能力。

(1) 转速由 $n=500$ r/min 改为 $n=700$ r/min;

(2) 宽径比 B/d 由 1.0 改为 0.8;

(3) 润滑油的黏度等级由 46 级改为 68 级;

(4) 轴承孔表面粗糙度由 $Rz=6.3$ μm 改为 $Rz=3.2$ μm。

12-21 在设计流体润滑轴承时,当出现下列情况之一后,可考虑采取什么改进措施(对每种情况提出两种改进措施)?

(1) 当 $h_{min}<[h]$ 时;

(2) 当条件 $p<[p]$、$v<[v]$、$pv<[pv]$ 不满足时;

(3) 当计算入口温度 t_i 偏低时。

12-22 流体动力润滑轴承承载能力验算合格的基本依据是什么?

12-23 滑动轴承润滑的目的是什么(分别从流体润滑和不完全流体润滑两类轴承分析)?

12-24 滑动轴承常用的润滑剂种类有哪些?选用时应考虑哪些因素?

三、设计计算题

12-25 起重机卷筒轴采用两个不完全流体润滑径向滑动轴承支承,已知每个轴承上的径向载荷 $F=100$ kN,轴颈直径 $d=90$ mm,转速 $n=90$ r/min。拟采用整体式轴瓦,试设计此轴承,并选择润滑剂牌号。

12-26 有一不完全流体润滑径向滑动轴承,轴颈直径 $d=200$ mm,轴承宽度 $B=250$ mm,轴承材料选用 ZCuAl10Fe3,当轴转速为 60 r/min、100 r/min、500 r/min 时,轴承允许的最大径向载荷各为多少?

12-27 一流体动力润滑径向滑动轴承,承受径向载荷 $F=70$ kN,转速 $n=1500$ r/min,轴

颈直径 $d=200$ mm,宽径比 $B/d=0.8$,相对间隙 $\psi=0.0015$,包角 $\alpha=180°$,采用黏度等级为 32 的润滑油(无压供油),假设轴承中平均油温 $t_m=50$ ℃,油的黏度 $\eta=0.018$ Pa·s,求最小油膜厚度 h_{min}。

12-28 某汽轮机用流体动力润滑径向滑动轴承,轴承直径 $d=80$ mm,转速 $n=1000$ r/min,轴承上的径向载荷 $F=10$ kN,载荷平稳,试确定轴瓦材料、轴承宽度 B、润滑油牌号、流量、最小油膜厚度、轴与孔的配合公差及表面粗糙度,并进行轴承热平衡计算。

第十四章 联轴器和离合器

一、选择与填空题

14-1 试查手册确定下列联轴器的相对位移补偿量范围。

位移		滑块联轴器	弹性柱销联轴器	齿式联轴器	轮胎联轴器
补偿量范围	x/mm				
	y/mm				
	α/(°)				

14-2 滚子链联轴器因链条的套筒与其相配件间存在间隙,不宜用于_____等场合。

14-3 在有弹性元件的挠性联轴器中,弹性元件有定刚度与变刚度之分,非金属材料的弹性元件是_____,其刚度多随载荷增大而_____。

14-4 多盘摩擦离合器的内摩擦盘有时做成蝶形,这是为了_____。
(1)减轻盘的磨损 (2)提高盘的刚性 (3)使离合器分离迅速 (4)增大当量摩擦系数

二、分析与思考题

14-5 联轴器、离合器、安全联轴器和安全离合器有何区别?各用于什么场合?

14-6 试比较刚性联轴器、无弹性元件的挠性联轴器和有弹性元件的挠性联轴器各有何优缺点?各适用于什么场合?

14-7 在下列工况下,选择哪类联轴器较好?试举出一两种联轴器的名称。
(1)载荷平稳,冲击轻微,两轴易于准确对中,同时希望寿命较长。
(2)载荷比较平稳,冲击不大,但两轴轴线具有一定程度的相对偏移。
(3)载荷不平稳且具有较大的冲击和振动。
(4)机器在运转过程中载荷较平稳,但可能产生很大的瞬时过载,导致机器损坏。

14-8 十字轴万向联轴器适用于什么场合?为何常成对使用?在成对使用时如何布置才能使主、从动轴的角速度随时相等?

14-9 在联轴器和离合器设计计算中,引入工作情况系数 K_A 是为了考虑哪些因素的影响?

14-10 选择联轴器类型时,应当考虑哪几方面的因素?

14-11 牙嵌离合器和摩擦式离合器各有何优缺点?各适用于什么场合?

14-12 牙嵌离合器的牙型有哪几种?各用于什么场合?

三、设计计算题

14-13 有一链式输送机用联轴器与电动机相连接。已知传递功率 $P=15$ kW,电动机转速 $n=1460$ r/min,电动机轴伸直径 $d=42$ mm。两轴同轴度好,输送机工作时启动频繁并有轻微冲击。试选择联轴器的类型和型号。

14-14 一搅拌机的轴通过联轴器与减速器的输出轴相连接,原动机为电动机,减速器输出轴的转速 $n=200$ r/min,传递的转矩 $T=1000$ N·m,两轴工作时有少量偏移,试选择此联轴器的类型和型号。

14-15 一剪切销安全联轴器如图所示,传递转矩 $T_{max}=800$ N·m,销钉直径 $d=6$ mm,销钉材料用 45 钢正火,销钉中心所在圆的直径 $D=100$ mm,销钉数 $z=2$,取 $[\tau]=400$ MPa。试求此联轴器在载荷超过多大时方能起到安全保护作用。

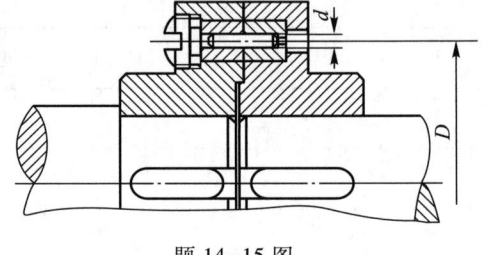

题 14-15 图

第十六章 弹 簧

一、选择与填空题

16-1 按照所承受的载荷不同,弹簧可分为_____、_____、_____和_____四种;而按照形状不同,弹簧可分为_____、_____、_____和_____。

16-2 下列材料中不能用来做弹簧的是_____。
(1) 70   (2) 65Mn   (3) HT150   (4) 50CrVA

16-3 弹簧材料的Ⅰ类、Ⅱ类、Ⅲ类是按_____来分的,同一材料的Ⅱ类弹簧的许用切应力值高于_____类弹簧的许用值。

16-4 碳素弹簧钢丝的拉伸强度极限随弹簧钢丝直径的增大而_____。
(1) 增大   (2) 不变   (3) 减小

二、分析与思考题

16-5 弹簧主要有哪些功能?试分别举出几个应用实例。

16-6 弹簧制造时采用冷卷或热卷与弹簧丝直径有何关系?弹簧丝冷卷或热卷后的热处理方法有何区别?

16-7 什么是弹簧的特性曲线?它与弹簧的刚度有什么关系?定刚度弹簧和变刚度弹簧的特性曲线有何区别?

16-8 圆柱螺旋压缩(拉伸)弹簧受载时,弹簧丝截面上的应力最大点在什么地方?最大

应力值如何确定？为什么要引入曲度系数 K？

16-9　弹簧的旋绕比 C 是如何定义的？设计弹簧时，C 值的取值范围是多少？C 值过大或过小有何不利？

16-10　弹簧强度计算和刚度计算的目的是什么？影响圆柱螺旋压缩（拉伸）弹簧强度和刚度的主要因素有哪些？

16-11　在设计承受变载荷的圆柱螺旋压缩（拉伸）弹簧时，按什么载荷进行设计计算，并需要做哪几方面的验算？

16-12　圆柱螺旋扭转弹簧受载时，弹簧钢丝内产生什么应力？其应力最大值的位置如何确定？

16-13　已知圆柱螺旋压缩（拉伸）弹簧的外载荷为 F，试分析只增大弹簧钢丝直径 d、有效圈数 n、中径 D 三者之一时，弹簧在载荷 F 作用下的变形是增大还是减小？

16-14　现有两个圆柱螺旋拉伸弹簧，若它们的材料、弹簧钢丝直径、弹簧中径、端部结构等完全相同，仅有效圈数不同，试分析两弹簧的强度、刚度大小有何不同？

16-15　当圆柱螺旋压缩弹簧有可能失稳时，可采用哪些措施防止失稳？

16-16　在什么情况下要对弹簧进行振动验算？为了使弹簧正常工作，弹簧的工作频率与弹簧基本自振频率间有何关系？若振动验算不合格时应如何修改设计？

三、设计计算题

16-17　有一圆柱螺旋压缩弹簧的外径 $D_2 = 42$ mm，弹簧钢丝直径 $d = 5$ mm，有效圈数 $n = 12$，材料为 DM 型碳素弹簧钢丝，进行喷丸处理，求：

（1）当承受的静载荷 $F = 500$ N 时，弹簧的压缩变形量；

（2）当弹簧受 II 类载荷时，求其允许的最大工作载荷及变形量。

16-18　两个圆柱螺旋压缩弹簧，刚度 $k_{F1} = 10$ N/mm，$k_{F2} = 20$ N/mm。求：

（1）串联时的综合刚度 k_F 和两个弹簧的变形比 λ_1/λ_2；

（2）并联时的综合刚度 k_F 和两个弹簧的载荷比 F_1/F_2。

16-19　一承受静载荷的圆柱螺旋拉伸弹簧，已知弹簧钢丝直径 $d = 4$ mm，弹簧中径 $D = 20$ mm，有效圈数 $n = 22$ 圈，弹簧材料为 SL 型碳素弹簧钢丝，有预应力，初拉力 $F_0 = 100$ N，求弹簧允许的最大工作载荷 F_{max} 和对应的变形量 λ_{max}。

16-20　设计一普通安全阀中的圆柱螺旋压缩弹簧。已知预调压力 $F_1 = 480$ N，变形量 $\lambda_1 = 14$ mm，工作行程 $h = 1.9$ mm，弹簧中径 $D = 20$ mm，两端固定支承。

第十八章　减速器和变速器

分析与思考题

18-1　分流式两级圆柱齿轮减速器有哪两种分流方式？哪种分流方式性能较好？

18-2　在锥齿轮传动和圆柱齿轮传动组成的减速器中，哪种齿轮传动应位于高速级？为什么？

18-3　选用单级蜗杆减速器时，在什么情况下应选用上蜗杆结构？在什么情况下应选用下

蜗杆结构？为什么？

18-4 在蜗杆传动和齿轮传动组成的减速器中，通常什么传动应位于高速级？为什么？

18-5 机械式有级变速器有哪几种类型？

18-6 机械式无级变速器是如何实现无级变速的？能否保证传动比为定值？

18-7 什么是摩擦轮传动的几何滑动？举例说明哪种摩擦轮传动无几何滑动，哪种有几何滑动？

18-8 摩擦轮传动的主要失效形式是什么？

机械设计自测试题 I

一、是非题和选择题[是非题在括号内填√(正确)或填×(不正确),选择题在空格处填相应的答案号]

　　I-1　选用普通平键时,键的截面尺寸 $b×h$ 和键长 L 都是根据强度计算确定的。　　　　(　　)
　　I-2　流体动力润滑轴承的负荷比较大时应采用较小的轴承间隙。　　　　(　　)
　　I-3　圆柱螺旋弹簧的旋绕比选得过小则弹簧将过软。　　　　(　　)
　　I-4　V带横截面中两工作面之间的夹角为40°,所以带轮槽角也是40°。　　　　(　　)
　　I-5　变应力是由变载荷产生,也可能由静载荷产生。　　　　(　　)
　　I-6　在承受横向载荷的普通紧螺栓连接中,螺栓杆_____作用。
(1)受切应力　(2)受拉应力　(3)受扭转切应力和拉应力　(4)既可能只受切应力又可能只受拉应力
　　I-7　在下列四种向心滚动轴承中,_____型除可以承受径向载荷外,还能承受不大的双向轴向载荷。
(1) 60000　　(2) N0000　　(3) NA0000　　(4) 50000
　　I-8　在载荷比较平稳,冲击不大,但两轴轴线具有一定程度的相对偏移的情况下,两轴间通常宜选_____联轴器。
(1)刚性　(2)无弹性元件的挠性　(3)有弹性元件的挠性　(4)安全
　　I-9　采取_____的措施不能有效地改善轴的刚度。
(1)改用其他高强度钢材　(2)改变轴的直径　(3)改变轴的支承位置　(4)改变轴的结构
　　I-10　在滑动轴承材料中,_____通常只用于作为双金属或三金属轴瓦的表层材料。
(1)铸铁　(2)锡基轴承合金　(3)铸造锡青铜　(4)铸造黄铜

二、填空题

　　I-11　某零件的应力比 $r = 0.6$,$\sigma_a = 80$ MPa,则 $\sigma_m = $_____,$\sigma_{max} = $_____,$\sigma_{min} = $_____。
　　I-12　在转轴的结构设计中,轴的最小直径 d_{min} 是按_____初步确定的。
　　I-13　在弹簧设计计算中,由强度条件确定弹簧的_____,由变形条件确定弹簧的_____。
　　I-14　一般蜗轮用_____材料制造,蜗杆用_____材料制造,这样做的好处是_____。
　　I-15　在设计 V 带传动时,V 带的带型是根据_____和_____选取的。
　　I-16　对于闭式软齿面齿轮传动,在传动尺寸不变并满足弯曲疲劳强度要求的前提下,齿数宜适当取多些。其目的是_____。
　　I-17　滚动轴承内、外圈的常用材料为_____,保持架的常用材料为_____。

Ⅰ-18　滚子链传动中,限制链轮最少齿数的目的是_____。

Ⅰ-19　相同尺寸系列和内径尺寸的球轴承与滚子轴承相比较,_____轴承的承载能力高,_____轴承的极限转速高。

Ⅰ-20　_____键连接既可用于传递转矩,又可承受单向的轴向载荷,但轴与轮毂的对中性较差。

三、问答题

Ⅰ-21　用同一材料制成的机械零件和标准试件的疲劳极限通常是不相同的,试说明导致不相同的主要原因。

Ⅰ-22　简述在受轴向变载荷条件下,提高紧螺栓连接的疲劳强度的措施。

Ⅰ-23　设计流体动力润滑径向滑动轴承时,为保证轴承正常工作应满足哪些条件?

四、分析题

Ⅰ-24　试用受力变形线图说明受轴向工作载荷的紧螺栓连接中螺栓所受的总载荷 F_2 与预紧力 F_0 的关系。

Ⅰ-25　图示为圆锥-圆柱齿轮传动装置。轮1为主动轮,转向如图所示,轮3、4为斜齿圆柱齿轮。

(1) 轮3、4的螺旋线方向应如何选择,才能使轴Ⅱ上两齿轮的轴向力相反?

(2) 画出齿轮2、3所受各分力的方向。

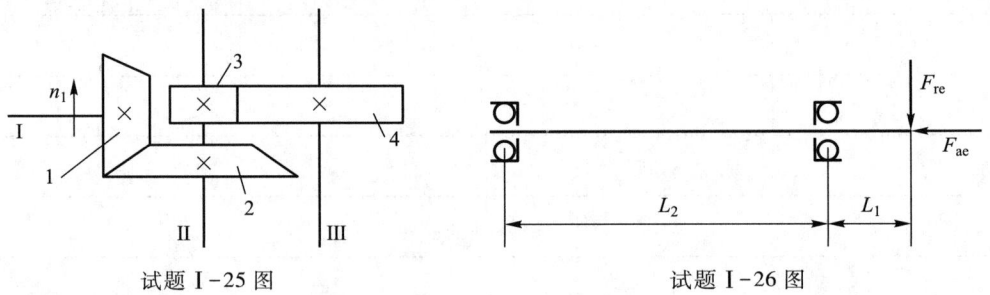

试题Ⅰ-25 图　　　　　　　　　试题Ⅰ-26 图

五、计算题

Ⅰ-26　一根轴用两个角接触球轴承支承,如图所示。$L_1 = 40$ mm,$L_2 = 200$ mm,轴端作用有轴向力 $F_{ae} = 820$ N,径向力 $F_{re} = 1\,640$ N。试分别求出两轴承所受的径向载荷 F_{r1}、F_{r2} 和轴向载荷 F_{a1}、F_{a2}(注:轴承派生轴向力 $F_d = 0.68F_r$)。

Ⅰ-27　凸缘联轴器用一圆头普通平键与轴相连接。已知键的尺寸为 $b \times h \times L = 10 \times 8 \times 50$(单位均为 mm),轴的直径 $d = 35$ mm,键连接的许用挤压应力 $[\sigma_{bs}] = 100$ MPa,试求该连接所允许传递的转矩。

Ⅰ-28　某机械结构如图所示,一滑轨用4个 M12($d_1 = 10.106$ mm)的普通螺栓固定在两立柱上,滑块的最大行程为300 mm,若螺栓材料的屈服极限 $\sigma_S = 320$ MPa,螺纹连接的安全系数 $S = 4$,接合面摩擦系数 $f = 0.2$,防滑系数 $K_s = 1.2$。试确定滑块上所允许承受的最大载荷 F 为多少。

Ⅰ-29　已知普通V带传动传递的功率 $P = 10$ kW,带速 $v = 12.5$ m/s,现测得初拉力 $F_0 =$

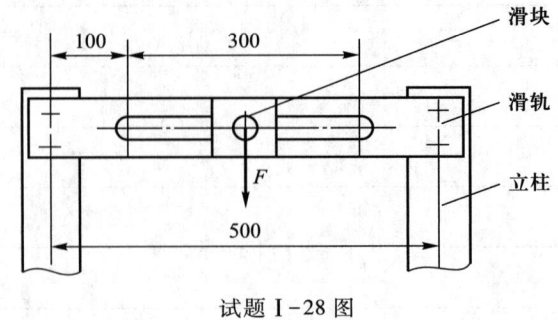

试题 I-28 图

700 N，试求紧边拉力 F_1 和松边拉力 F_2。

六、结构分析题

I-30 试指出图示轴系中的错误结构并改正。

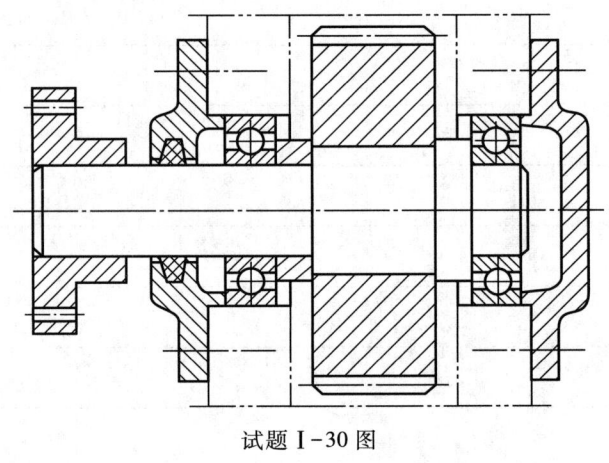

试题 I-30 图

机械设计自测试题 Ⅱ

一、是非题和选择题[是非题在括号内填√(正确)或填×(不正确),选择题在空格处填相应的答案号]

Ⅱ-1　在流体润滑滑动轴承中,摩擦系数 f 随轴的角速度 ω 增大而增大。　　　　　(　　)

Ⅱ-2　V带在传动中会出现弹性滑动现象,但只要设计得合理,就可以避免弹性滑动。
　　　　　　　　　　　　　　　　　　　　　　　　　　　　　　　　　　　　　(　　)

Ⅱ-3　为保证普通圆柱蜗杆传动良好的磨合(跑合)与耐磨性,通常采用钢制蜗杆与青铜合金蜗轮。　　　　　　　　　　　　　　　　　　　　　　　　　　　　　　　　(　　)

Ⅱ-4　两个相互接触受载的钢球,直径较大的钢球产生的接触应力较小。　(　　)

Ⅱ-5　圆柱螺旋压缩弹簧与拉伸弹簧受载时,弹簧丝截面上的应力是不同的,前者为压应力,后者为拉应力。　　　　　　　　　　　　　　　　　　　　　　　　　　　(　　)

Ⅱ-6　设计过盈连接时,若其他条件不变,仅将实心轴改为空心轴,则连接所能传递的载荷将_____。

(1) 增大　　(2) 减小　　(3) 不变

Ⅱ-7　在螺纹连接中,采用悬置螺母的主要作用是_____。

(1) 作为连接的防松装置　　　　　　　(2) 减小螺栓连接的刚度
(3) 使螺母中各圈螺纹受力均匀　　　　(4) 防止螺栓受弯曲载荷

Ⅱ-8　对齿面硬度≤350 HBW 的一对齿轮,当采用相同的钢材制造时,一般将_____。

(1) 小齿轮表面淬火,大齿轮调质　　　(2) 小齿轮表面淬火,大齿轮正火
(3) 小齿轮正火,大齿轮调质　　　　　(4) 小齿轮调质,大齿轮正火

Ⅱ-9　按弯扭合成强度条件计算轴的应力时,要引入系数 α,这个 α 是考虑_____。

(1) 轴上有键槽而削弱轴的强度所引入的系数　(2) 按第三强度理论合成正应力与切应力时的折合系数　(3) 正应力与切应力的应力比不同而引入的系数

Ⅱ-10　在一定转速下,要降低滚子链传动的不均性和动载荷,应当_____。

(1) 增大节距 p 和增加齿数 z_1　　　(2) 减小节距 p 和减少齿数 z_1
(3) 增大节距 p 和减少齿数 z_1　　　(4) 减小节距 p 和增加齿数 z_1

二、填空题

Ⅱ-11　普通紧螺栓组连接所受载荷可分解为_____、_____、_____和_____四种基本载荷。

Ⅱ-12　在包角 $\alpha = 180°$、特定带长,平稳的工作条件下,单根 V 带的基本额定功率 P_0 值大小取决于_____、_____和_____。

Ⅱ-13　对于受循环变应力作用的零件,影响疲劳破坏的主要应力成分是_____。

Ⅱ-14　增加蜗杆头数,可以_____传动效率,但蜗杆头数过多,将会给_____带来困难。

Ⅱ-15 滚子链的铰链磨损后,链的实际节距变长,若链轮的磨损可忽略不计,这时链条在传动过程中易在_____链轮上发生脱链。

Ⅱ-16 螺纹连接防松按工作原理可分为_____、_____和_____三类。

Ⅱ-17 蜗轮的轮缘与轮毂通常采用不同的材料,其目的是为了_____。

Ⅱ-18 其他条件不变,若将作用在球轴承上的当量动载荷增加一倍,则该轴承的基本额定寿命将降至原来的_____。

Ⅱ-19 采用三油楔或多油楔滑动轴承的目的在于_____。

Ⅱ-20 渐开线圆柱齿轮的齿面接触应力在齿廓各处是不同的,在_____处的接触应力为最大,但一般的计算以_____处的接触应力作为计算应力。

三、问答题

Ⅱ-21 在V带传动中,小带轮主动。若仅将传动比 $i=3$ 改为 $i=2$(相应地减小大带轮的基准直径和增大中心距,带长不变),则V带传动的承载能力有什么变化?为什么?

Ⅱ-22 一对直齿圆柱齿轮传动,若载荷、齿轮材料、齿宽、传动比及中心距等都不改变,试分析当增大小齿轮(主动轮)齿数 z_1 时,将对齿轮传动的平稳性、齿根弯曲强度、齿面磨损、齿面接触强度及抗胶合能力等各有什么影响?为什么?

Ⅱ-23 钢丝螺套用于什么场合?起什么作用?

四、分析题

Ⅱ-24 零件等寿命疲劳曲线如图所示。请画出以下两种零件中变应力的极限应力点。

(1)紧螺栓连接中,外加轴向工作载荷为脉动循环,点 M 为螺栓危险截面的工作应力点;

(2)在平衡位置上下振动的弹簧,工作应力点为点 N。

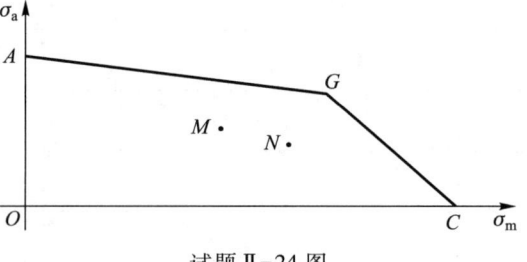

试题 Ⅱ-24 图

Ⅱ-25 在图示定轴轮系中,已知齿轮1主动,输入转速 $n_1=500$ r/min,齿数 $z_1=30$、$z_2=25$,工作寿命 $L_h=2\,000$ h,若齿轮1转向不变,试确定:

(1)各齿轮的接触应力和弯曲应力的应力比 r 值;

(2)齿轮2的接触应力和弯曲应力的循环次数 N_2。

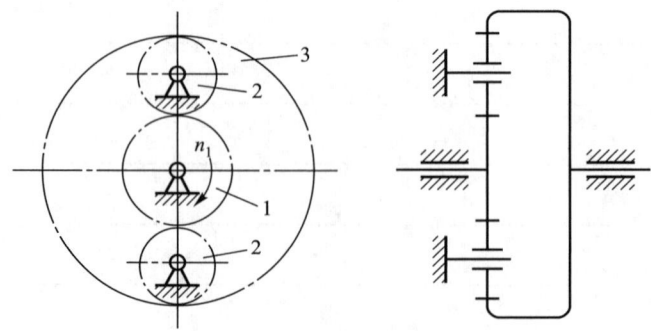

试题 Ⅱ-25 图

Ⅱ-26 在图示两支承中,已知图 a 的轴上仅受径向载荷 F_{re},支承跨距 $L_1>L_2$,图 b 的轴上仅受轴向载荷 F_{ae},轴承的派生轴向力 F_d 与径向载荷 F_r 的关系为 $F_d=0.4F_r$。试写出各轴承径向载荷 F_r 及轴向载荷 F_a 的计算式。

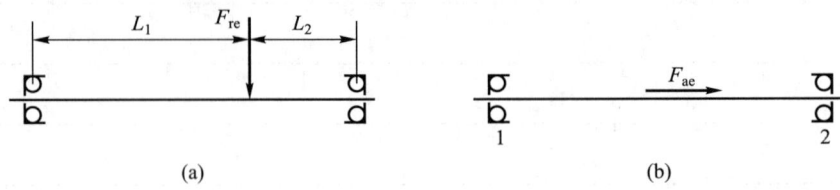

试题 Ⅱ-26 图

五、计算题

Ⅱ-27 某链传动中,大链轮与轴用两个 A 型普通平键相连接,键的尺寸 $b×h×L=20×12×80$(单位均为 mm),轴直径 $d=70$ mm,连接的许用挤压应力 $[\sigma_{bs}]=80$ MPa,试求该连接所允许传递的最大转矩。

Ⅱ-28 某轴由对称布置的两个不完全流体润滑径向滑动轴承支承。轴的转速 $n=120$ r/min,轴承宽度 $B=90$ mm,装轴承处轴颈直径 $d=100$ mm,轴瓦材料为 ZCuSn10P1($[p]=15$ MPa,$[v]=10$ m/s,$[pv]=15$ MPa·m/s),试计算每个轴承所允许承受的最大径向载荷。

Ⅱ-29 某转动心轴用 45 钢制成,材料的疲劳极限 $\sigma_{-1}=300$ MPa,应力循环基数 $N_0=10^7$,疲劳曲线指数 $m=9$,轴的转速 $n=150$ r/min,危险截面处弯曲疲劳极限的综合影响系数 $K_\sigma=2.5$。若要求轴的工作寿命不低于 120 h,试问轴的弯曲应力不得超过多大?

六、结构分析题

Ⅱ-30 试指出下列图中的错误结构并改正。

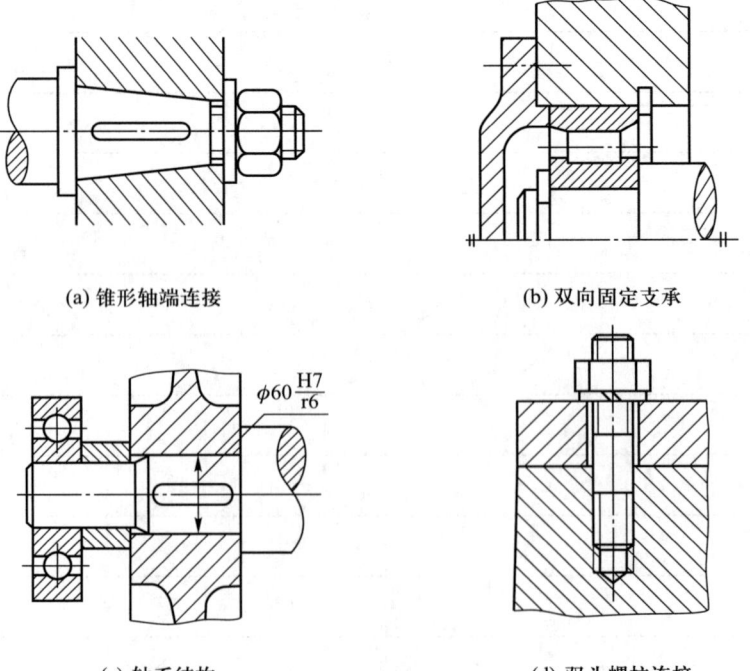

(a) 锥形轴端连接 (b) 双向固定支承

(c) 轴系结构 (d) 双头螺柱连接

试题 Ⅱ-30 图

参 考 文 献

[1] 濮良贵,陈国定,吴立言.机械设计[M].10版.北京:高等教育出版社,2019.
[2] 濮良贵,纪名刚.机械设计学习指南[M].4版.北京:高等教育出版社,2001.
[3] 李育锡.机械设计作业集[M].4版.北京:高等教育出版社,2013.
[4] 吴宗泽.机械设计习题集[M].3版.北京:高等教育出版社,2002.
[5] 唐蓉城,潘凤章.机械零件习题作业汇编[M].天津:天津科学技术出版社,1987.
[6] 马家瑞.机械设计 TOEFL 式试题集[M].上海:上海科学技术文献出版社,1987.
[7] 丁振华.机械设计习题与指导[M].上海:上海交通大学出版社,1990.
[8] 许高燕.机械设计手册及课程设计[M].武汉:中国地质大学出版社,1989.
[9] 陈福生,杜立杰.机械设计习题集[M].北京:机械工业出版社,1993.